'사고력수학의 시작'

팡세

pensées

C3

3학년 | 유추

사고가 자라는 수학
씨투엠

사고력 수학을 묻고
팡세가 답해요

Q: 사고력 수학은 '왜' 해야 하나요?

사고력 수학은 아이에게 낯선 문제를 접하게 함으로써 여러 가지 문제 해결 방법을 아이 스스로 생각하게 하는 것에 목적이 있어요. 정석적인 한 가지 풀이법만 알고 있는 아이는 결국 중등 이후에 나오는 응용 문제에 대한 해결력이 현저히 떨어지게 되지요. 반면 사고력 수학을 통해 여러 가지 풀이법을 스스로 생각하고 알아낸 경험이 있는 아이들은 한 번 막히는 문제도 다른 방법으로 뚫어낼 힘이 생기게 된답니다. 이러한 힘을 기르는 데 있어 사고력 수학이 가장 크게 도움이 된다고 확신해요.

Q: 사고력 수학이 '필수'인가요?

No but Yes! 초등 수학에서 가장 필수적인 것은 교과와 연산이지요. 또 중등에서의 서술형 평가를 대비하기 위한 서술형 학습과 어려운 중등 도형을 헤쳐나가기 위한 도형 학습 정도를 추가하면 돼요. 사고력 수학은 그 다음으로 중요하다고 할 수 있어요. 다만 만약 중등 이후에도 상위권을 꾸준하게 유지하겠다고 하시면 사고력 수학은 필수랍니다.

Q: 사고력 수학, 꼭 '어려운' 문제를 풀어야 하나요?

No! 기존의 사고력 수학 교재가 어려운 이유는 영재교육원 입시 때문이었어요. 상위권 중에서도 더 잘하는 아이, 즉 영재를 골라내는 시험에 사고력수학 문제가 단골로 출제되었고, 이에 대비하기 위해 만들어진 것이 초창기 사고력 수학 교재이지요. 하지만 모든 아이들이 영재일 수는 없고, 또 그래야할 필요도 없어요. 사고력 수학으로 영재를 확실하게 선별할 수 있는 것도 아니에요. 따라서 사고력 수학의 원래 목적, 즉 새로운 문제를 풀 수 있는 능력만 기를 수 있다면 난이도는 중요하지 않답니다. 오히려 어려운 문제는 수학에 대한 아이들의 자신감을 떨어뜨리는 부작용이 있다는 점! 반드시 기억해야 해요.

Q: 사고력 수학 학습에서 어떤 점에 '유의'해야 할까요?

가장 중요한 것은 아이가 스스로 방법을 생각할 수 있는 시간을 충분히 주는 거예요. 엄마나 선생님이 옆에서 방법을 바로 알려주거나 해답지를 줘버리면 사고력 수학의 효과는 없는 거나 마찬가지랍니다. 설령 문제를 못 풀더라도 아이가 스스로 고민하는 습관을 가지고, 방법을 찾아가는 시간을 늘리는 것이 아이의 문제해결력과 집중력을 기르는 방법이라고 꼭 새기며 아이가 스스로 발전할 수 있는 가능성을 믿어 보세요.

또 하나 더 강조하고 싶은 것은 문제의 답을 모두 맞힐 필요가 없다는 거예요. 사고력 수학 문제를 백점 맞는다고 해서 바로 성적이 쑥쑥 오르는 것이 아니에요. 사고력 수학은 훗날 아이가 더 어려운 문제를 풀기 위한 수학적 힘을 기르는 과정으로 봐야 하는 거지요. 그러니 아이가 하나 맞히고 틀리는 것에 일희일비하지 말고 우리 아이가 문제를 어떤 방법으로 풀려고 했고, 왜 어려워 하는지 표현하게 하는 것이 훨씬 중요합니다. 사고력 수학은 문제의 결과인 답보다 답을 찾아가는 과정 그 자체에 의미가 있다는 사실을 꼭! 꼭! 기억해 주세요.

팡세의 구성과 특징

1. 패턴, 퍼즐과 전략, 유추, 카운팅 – 새로운 시대에 맞는 새로운 사고력 영역!

2. 아이가 혼자서도 술술 풀어나가며 자신감을 기르기에 딱 좋은 난이도!

3. 하루 10분 1장만 풀어도 초등에서 꼭 키워야 하는 사고력을 쑥쑥!

일일 소주제 학습

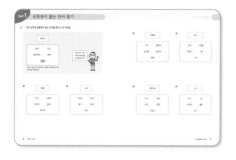

하루에 10분씩 매일 1장씩만 꾸준히 풀면 돼.

5일 동안 배운 것 중 가장 중요한 문제를 복습하는 거야!

주차별 확인학습

월간 마무리 평가

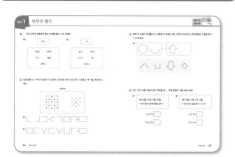

4주 동안 공부한 내용 중 어디가 부족한지 알 수 있다. 삐리삐리~

이 책의 차례

C3

pensées

공통점과 차이점

공통점이 없는 단어 찾기

안의 단어와 공통점이 없는 단어를 찾아 ✕표 하세요.

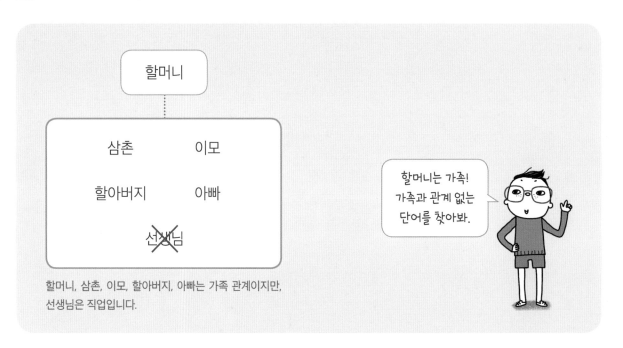

할머니

삼촌   이모

할아버지   아빠

선생님

할머니, 삼촌, 이모, 할아버지, 아빠는 가족 관계이지만,
선생님은 직업입니다.

할머니는 가족! 가족과 관계 없는 단어를 찾아봐.

❶ 비둘기

타조   다람쥐

부엉이   참새

독수리

❷ 사과

복숭아   참외

딸기   배추

자두

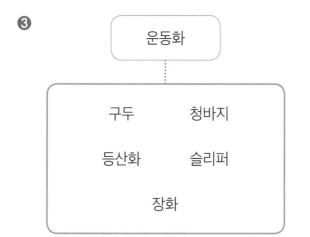

❸ 운동화

구두　　　청바지

등산화　　슬리퍼

장화

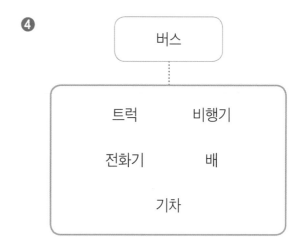

❹ 버스

트럭　　　비행기

전화기　　　배

기차

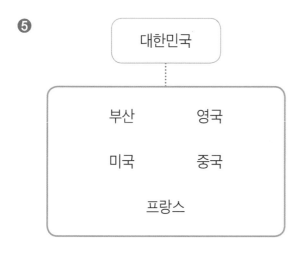

❺ 대한민국

부산　　　영국

미국　　　중국

프랑스

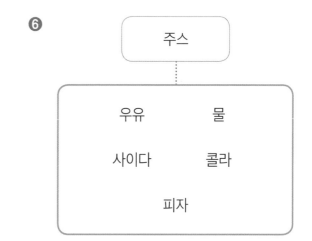

❻ 주스

우유　　　물

사이다　　콜라

피자

바뀐 그림 찾기

✎ 기준에 따라 그림을 왼쪽과 오른쪽으로 나누었습니다. 잘못 들어간 그림을 찾아 ✕표 하세요.

왼쪽 그림은 화살표가 시계 반대 방향으로 되어 있고,
오른쪽 그림은 화살표가 시계 방향으로 되어 있습니다.

왼쪽, 오른쪽 모두 5개는
맞게 들어갔는데 1개가
서로 바뀌었어.

❶
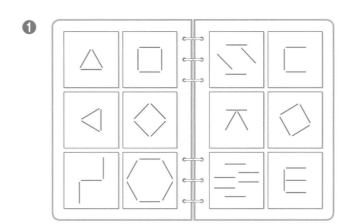

❷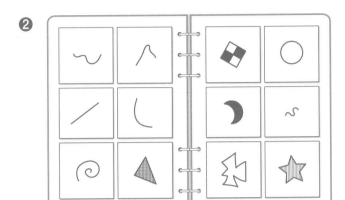

❸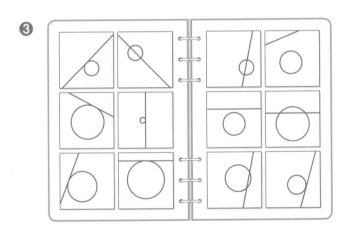

❹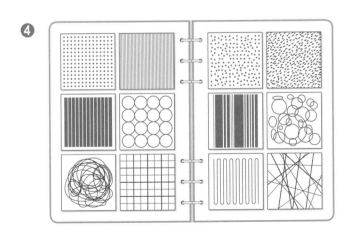

✏️ 기준에 따라 나누어진 것을 보고 빈 곳에 알맞은 문자를 찾아 선으로 이어 보세요.

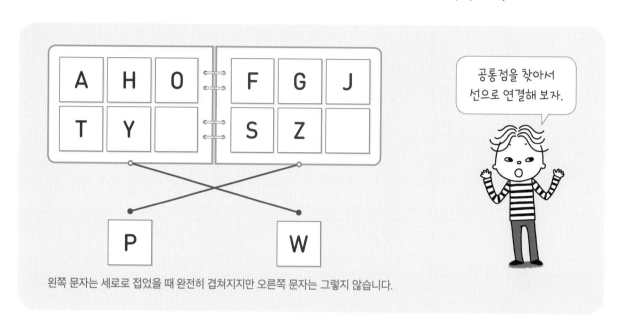

왼쪽 문자는 세로로 접었을 때 완전히 겹쳐지지만 오른쪽 문자는 그렇지 않습니다.

❶

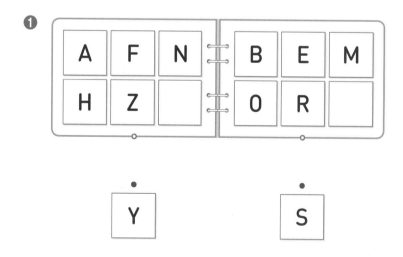

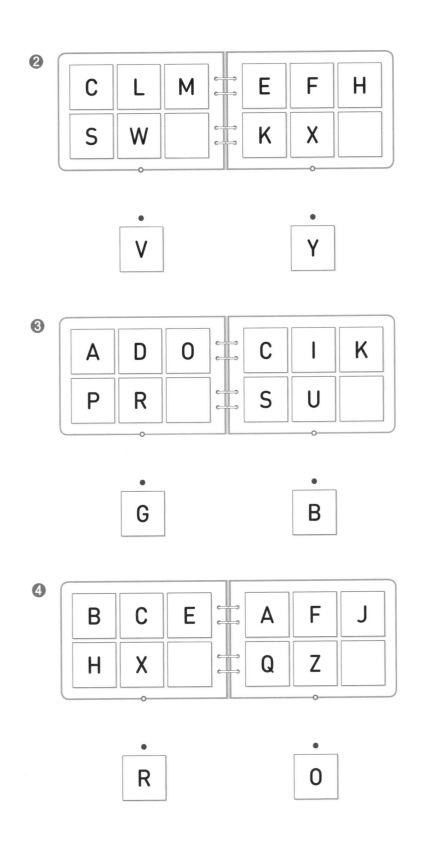

❷
| C | L | M | | E | F | H |
| S | W | | | K | X | |

• V   • Y

❸
| A | D | O | | C | I | K |
| P | R | | | S | U | |

• G   • B

❹
| B | C | E | | A | F | J |
| H | X | | | Q | Z | |

• R   • O

이 단어는 로로입니까?

✎ 로로를 찾아 ○표 하세요.

- 사슴은 로로입니다.
- 상어는 로로가 아닙니다.
- 호랑이는 로로입니다.
- 비둘기는 로로가 아닙니다.
- 쥐는 로로입니다.

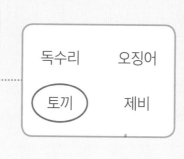

독수리　　　오징어

（토끼）　　　제비

로로는 땅 위에 있는 동물과 관련이 있군.

❶
- 오토바이는 로로입니다.
- 책상은 로로가 아닙니다.
- 기차는 로로입니다.
- 선풍기는 로로가 아닙니다.
- 트럭은 로로입니다.

안경　　　　자전거

컴퓨터　　　공기청정기

❷
- 잠자리는 로로입니다.
- 거북은 로로가 아닙니다.
- 개미는 로로입니다.
- 달팽이는 로로가 아닙니다.
- 메뚜기는 로로입니다.

고슴도치　　　다람쥐

참새　　　　나비

❸
- 리코더는 로로입니다.
- 트럼펫은 로로입니다.
- 하모니카는 로로입니다.
- 기타는 로로가 아닙니다.
- 북은 로로가 아닙니다.

탬버린	바이올린
피리	피아노

❹
- 농구는 로로입니다.
- 테니스는 로로입니다.
- 수영은 로로가 아닙니다.
- 볼링은 로로입니다.
- 태권도는 로로가 아닙니다.

축구	유도
양궁	권투

❺
- 비행기는 로로입니다.
- 버스는 로로가 아닙니다.
- 헬리콥터는 로로입니다.
- 갈매기는 로로입니다.
- 호랑이는 로로가 아닙니다

트럭	기러기
고래	잠수함

이 도형은 모모입니까?

✏️ 모모를 찾아 ◯표 하세요.

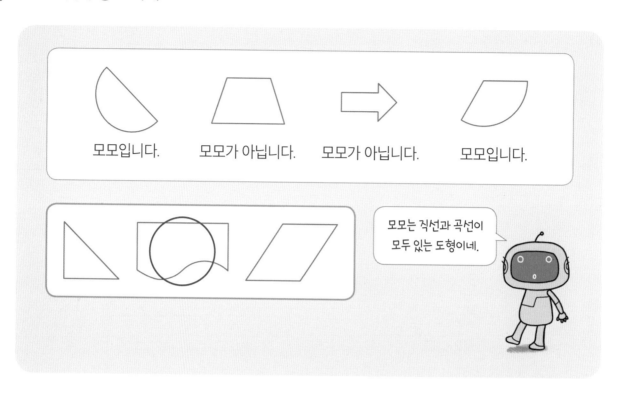

모모입니다.　　모모가 아닙니다.　　모모가 아닙니다.　　모모입니다.

모모는 직선과 곡선이 모두 있는 도형이네.

❶

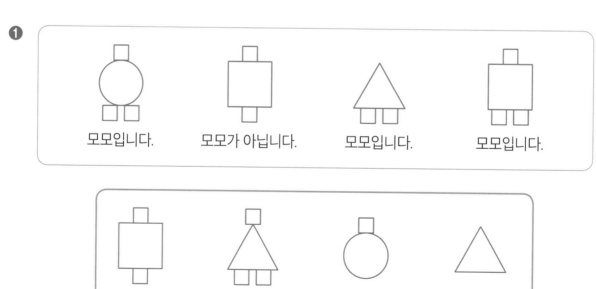

모모입니다.　　모모가 아닙니다.　　모모입니다.　　모모입니다.

❷

모모입니다. 　　모모가 아닙니다. 　　모모가 아닙니다. 　　모모입니다.

❸

모모입니다. 　　모모가 아닙니다. 　　모모입니다. 　　모모입니다.

✏️ 기준에 따라 그림을 왼쪽과 오른쪽으로 나누었습니다. 잘못 들어간 그림을 찾아 ✕표 하세요.

❶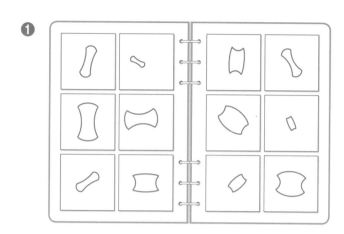

✏️ 뽕뽕을 찾아 ◯표 하세요.

❷
- 자전거는 뽕뽕입니다.
- 배는 뽕뽕이 아닙니다.
- 헬리콥터는 뽕뽕이 아닙니다.
- 기차는 뽕뽕입니다.
- 트럭은 뽕뽕입니다.

| 비행기 | 잠수함 |
| 오토바이 | 우주선 |

❸
- 연필은 뽕뽕입니다.
- TV는 뽕뽕이 아닙니다.
- 자는 뽕뽕입니다.
- 태극기는 뽕뽕이 아닙니다.
- 공책은 뽕뽕입니다.

| 컴퓨터 | 지우개 |
| 버스 | 의자 |

코드

✏️ 스키테일 암호는 종이가 감긴 원통형 막대에 문장을 가로로 쓴 후 종이를 풀어 암호를 만드는 방법입니다.

다음 스키테일 암호를 해독해 보세요.

| 나 | 버 | 니 | 두 | 는 | 지 | 모 | 사 | 할 | 할 | 두 | 랑 | 아 | 머 | 모 | 해 |

➡️ 나는 할아버지 할머니 모두 모두 사랑해

네 글자 간격으로 다시 써 봅니다.

두 글자, 세 글자, 네 글자, ······
와 같이 다양한 간격으로
암호를 만들 수 있어.

❶

| 오 | 고 | 전 | 싶 | 에 | 어 | 가 | 요 |

➡️ _____

❷

| 돌 | 겨 | 다 | 보 | 리 | 고 | 도 | 건 | 두 | 너 | 들 | 라 |

➡️ _____

❸
소 외 고 잃 양 친 고 간 다

➡ _____

❹
언 실 갔 니 에 습 가 들 니 교 어 다

➡ _____

❺
부 름 느 모 을 라 님 하 늦 심 고 었 부 오 어

➡ _____

❻
독 는 을 새 수 하 나 이 리 늘 는 다

➡ _____

❼
오 가 내 아 늘 그 일 집 은 치 은 니 비 고 맑 다

➡ _____

📝 카이사르 암호는 글자를 일정하게 이동시켜 암호를 만드는
방법입니다.
카이사르 암호표를 다음과 같이 원 모양으로 만들었습니다.
보라색은 암호, 흰색은 해독 단어일 때 다음 암호를 해독해
보세요.

<카이사르 암호표>

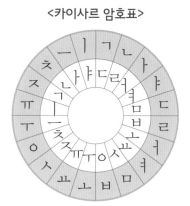

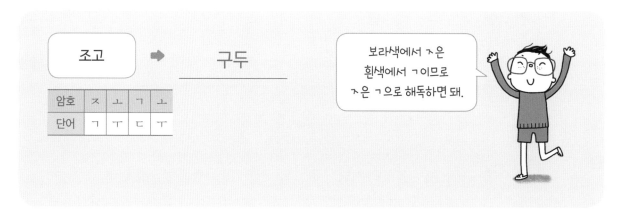

| 조고 | ➡ | 구두 |

암호	ㅈ	ㅗ	ㄱ	ㅗ
단어	ㄱ	ㅜ	ㄷ	ㅜ

보라색에서 ㅈ은 흰색에서 ㄱ이므로 ㅈ은 ㄱ으로 해독하면 돼.

❶ 맞류 ➡ _____

❷ 듳산 ➡ _____

❸ 므저냫 ➡ _____

❹ 뱌나롲 ➡ _____

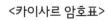

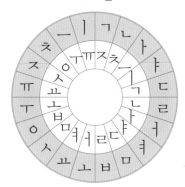

5 드뱌 ➡ _____

6 럳조 ➡ _____

7 냘곱 ➡ _____

8 춀장 ➡ _____

9 다뱌자 ➡ _____

10 욥거뱌 ➡ _____

11 골쟬그 ➡ _____

12 욷즞쳐 ➡ _____

곱 암호 해독

✎ 곱 암호의 규칙을 찾아 암호를 해독해 보세요.

<곱 암호표>

×	1	2	3	4	5	6
1	ㄱ	ㄴ	ㄷ	ㄹ	ㅁ	ㅂ
2	ㅅ	ㅇ	ㅈ	ㅊ	ㅋ	ㅌ
3	ㅍ	ㅎ	ㅏ	ㅑ	ㅓ	ㅕ
4	ㅗ	ㅛ	ㅜ	ㅠ	ㅡ	ㅣ

(2×2) (6×3) (4×1) (5×4) (5×1) ➡ 여름

2×2=ㅇ, 6×3=ㅕ, 4×1=ㄹ, 5×4=ㅡ, 5×1=ㅁ

곱셈구구표처럼 생각해.
(노랑×초록)의 결과 문자를 찾아.

❶ (1×1) (1×4) (2×2) (4×1) (2×4) (2×2) ➡ _____

❷ (1×2) (5×3) (2×1) (1×3) (3×4) (2×2) (1×1) (6×4) ➡ _____

❸ (6×1) (3×4) (4×1) (3×2) (1×4) (1×2) (6×4) (5×1) ➡ _____

<곱 암호표>

×	1	2	3	4	5	6
1	ㄱ	ㅁ	ㅈ	ㅍ	ㅓ	ㅜ
2	ㄴ	ㅂ	ㅊ	ㅎ	ㅕ	ㅠ
3	ㄷ	ㅅ	ㅋ	ㅏ	ㅗ	ㅡ
4	ㄹ	ㅇ	ㅌ	ㅑ	ㅛ	ㅣ

❹ (2×2) (6×1) (1×2) (2×3) (6×1) ➡ _____

❺ (1×1) (6×3) (1×4) (6×4) (2×1) (3×1) (4×3) ➡ _____

<곱 암호표>

×	1	2	3	4	5	6
1	ㄱ	ㄷ	ㅂ	ㅊ	ㅎ	ㅕ
2	ㄴ	ㅁ	ㅈ	ㅍ	ㅓ	ㅜ
3	ㄹ	ㅇ	ㅌ	ㅑ	ㅛ	ㅡ
4	ㅅ	ㅋ	ㅏ	ㅗ	ㅠ	ㅣ

❻ (2×2) (4×4) (1×4) (5×2) (1×3) (6×4) ➡ _____

❼ (2×4) (5×2) (2×2) (4×2) (5×4) (3×3) (5×2) ➡ _____

DAY 4 곱 암호표 만들기

✎ 곱 암호표의 규칙을 찾아 암호표를 완성한 후, 다음 단어를 곱 암호로 만들어 보세요.

<곱 암호표>

×	1	2	3	4	5
1	A	B	C	D	E
2	F	G	H	I	J
3	K	L	M	N	O
4	P	Q	R	S	T
5	U	V	W	X	Y

알파벳은
A B C D E F G H I J K L M
N O P Q R S T U V W X Y
그리고 곱 암호표에는 없지만
Z가 있어.

THINK ➡ (5×4) (3×2) (4×2) (4×3) (1×3)

❶   <곱 암호표>

×	1	2	3	4	5
1	A	F	K		U
2	B				V
3		H			
4				S	
5	E		O	T	Y

MATH

➡ _____

_____

SPRING

➡ _____

_____

❷

<곱 암호표>

×	1	2	3	4	5
1	A	B			E
2	P	Q		S	F
3			Y		
4	N		V	U	H
5	M			J	I

➡ APPLE

_____

_____

➡ MOTHER

_____

_____

❸

<곱 암호표>

×	1	2	3	4	5
1	A	D	I		
2	B	C	H		
3	E	F	G		
4	J				
5	Q				

➡ GIRL

_____

_____

➡ YELLOW

_____

_____

✏️ 암호표를 보고 주어진 암호의 각 모양이 나타내는 숫자 또는 연산 기호를 쓴 후 식을 계산해 보세요.

<암호표>

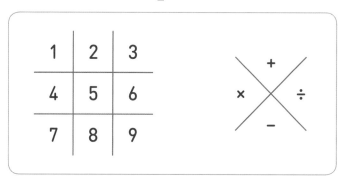

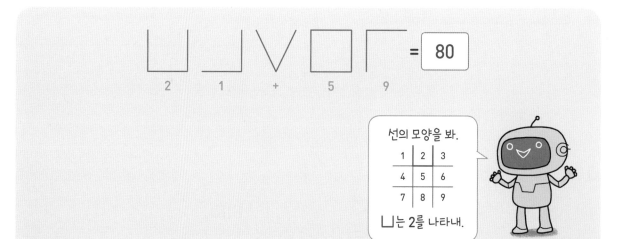

선의 모양을 봐.

1	2	3
4	5	6
7	8	9

⊔는 2를 나타내.

❶

❷ ┌ ⌐ > ⊔ < ∟ = ☐

연산 기호가 2개 있는 식은 앞에서부터 차례로 계산하도록 해.

<암호표>

1	4	7
2	5	8
3	6	9

❸ ㄱㅛㄴ > 7ㅁ = ▢

❹ ㄷㅛ∨ㄷ < ㄷ = ▢

<암호표>

1	2	3
8	9	4
7	6	5

❺ ▢ㅁㄴㄷ < ㄷㅛㄱ = ▢

❻ ㄱㅛㄴ > ▢∨ㄷㄴ = ▢

✏️ 다음 스키테일 암호를 해독해 보세요.

❶

| 사 | 의 | 고 | 시 | 력 | 작 | 수 | 팡 | 학 | 세 |

➡ _____

❷

| 예 | 들 | 었 | 쁜 | 판 | 습 | 꽃 | 에 | 니 | 이 | 피 | 다 |

➡ _____

✏️ 암호표를 보고 주어진 암호의 각 모양이 나타내는 숫자 또는 연산 기호를 쓴 후 식을 계산해 보세요.

<암호표>

❸

❹

유비 추론

✏️ 왼쪽 두 단어의 관계를 보고 오른쪽 두 단어도 같은 관계가 되도록 빈 곳에 알맞은 단어를 써넣으세요.

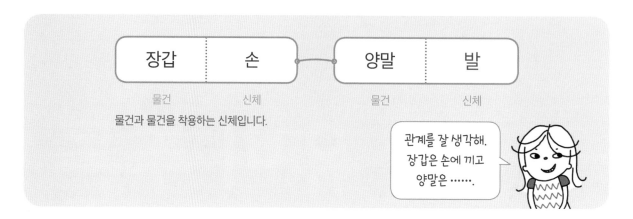

❶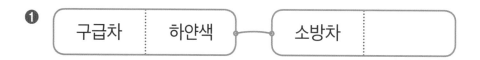

❷

❸

❹

❺

| 노래 | 듣다 | | 책 | |

❻

| 비누 | 화장실 | | 냄비 | |

❼

| 밥솥 | 밥 | | 정수기 | |

❽

| 책상 | 나무 | | 책 | |

❾

| 북극곰 | 북극 | | 낙타 | |

❿

| 물고기 | 어부 | | 쌀 | |

✏️ 왼쪽 두 도형의 관계를 보고 오른쪽 두 도형도 같은 관계가 되도록 빈 곳에 알맞은 도형을 찾아 ○표 하세요.

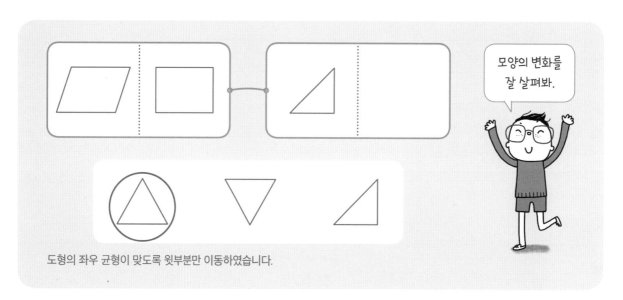

모양의 변화를 잘 살펴봐.

도형의 좌우 균형이 맞도록 윗부분만 이동하였습니다.

❶

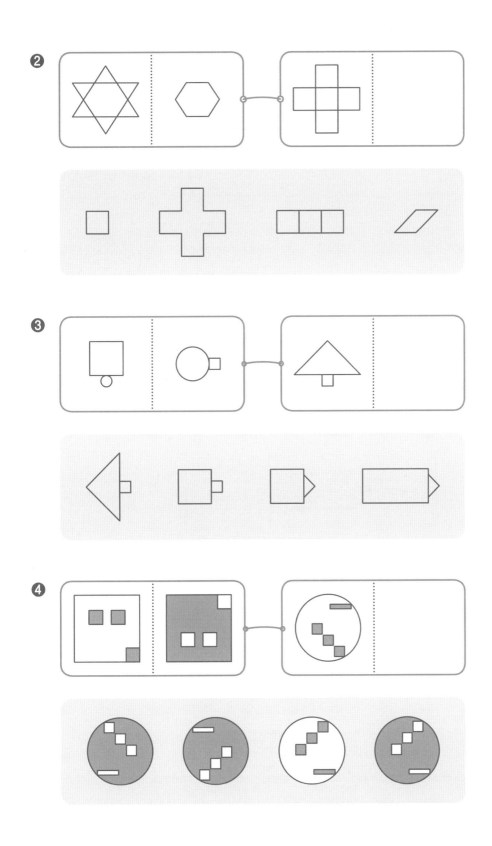

✏️ 왼쪽 두 도형의 관계를 보고 오른쪽 두 도형도 같은 관계가 되도록 빈 곳에 알맞은 도형을 그려 보세요.

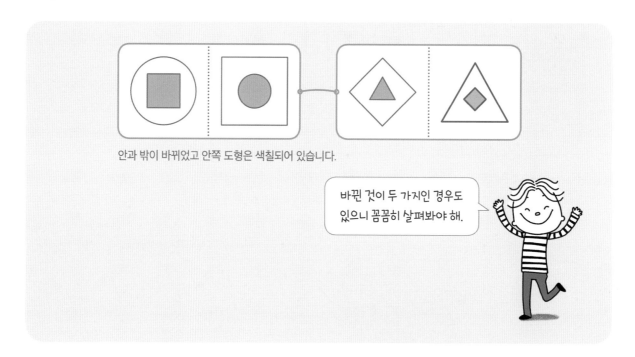

안과 밖이 바뀌었고 안쪽 도형은 색칠되어 있습니다.

바뀐 것이 두 가지인 경우도 있으니 꼼꼼히 살펴봐야 해.

❶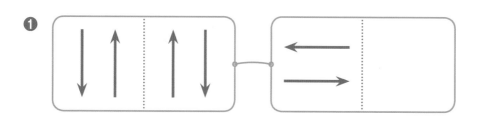

❷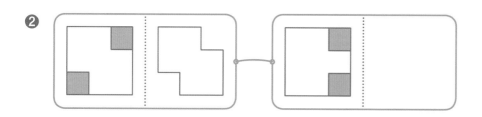

❸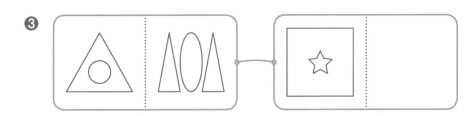

❹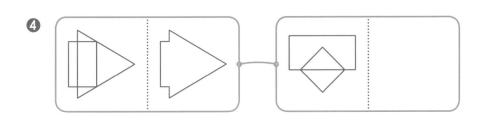

❺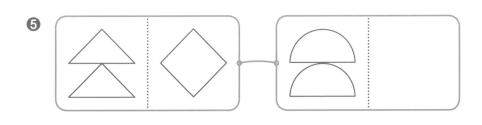

❻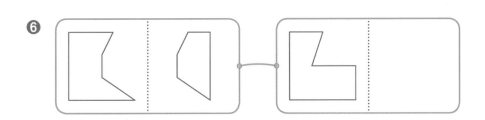

✐ 규칙에 맞게 빈 곳에 알맞은 그림을 그리거나 알맞게 색칠하세요.

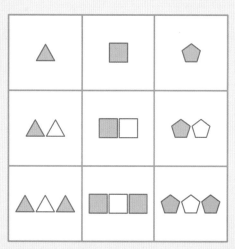

모양, 색깔, 개수
모두 살펴보도록 해.

오른쪽으로 갈수록 변의 개수가 한 개씩 늘어나고,
아래쪽으로 갈수록 도형의 개수가 한 개씩 늘어납니다.
각 칸 안에서 도형은 색칠된 것과 색칠되지 않은 것이 반복됩니다.

❶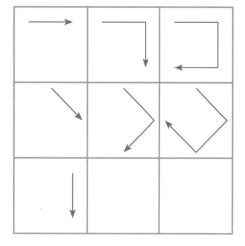

❷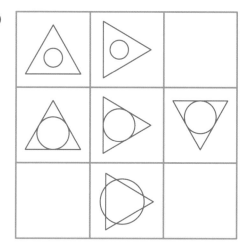

❸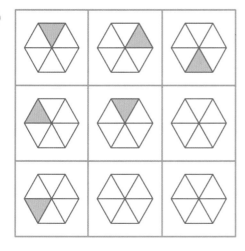

❹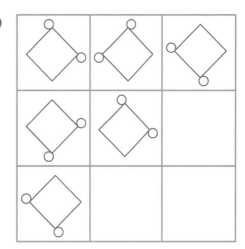

❺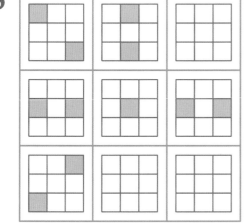

❻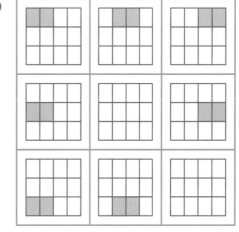

매트릭스 유추 (2)

✏️ 규칙에 맞게 빈 곳에 알맞은 그림을 그려 넣으세요.

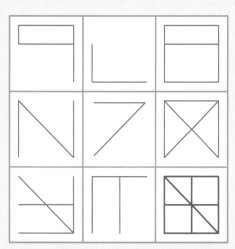

가로줄에서 첫 번째 그림과 두 번째 그림을 합치면 세 번째 그림입니다.

가로줄에서 첫 번째 그림과 두 번째 그림을 어떻게 하면 세 번째 그림이 나올지 생각해.

❶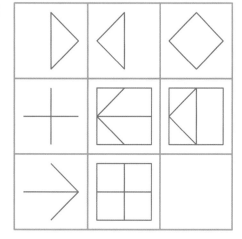

❷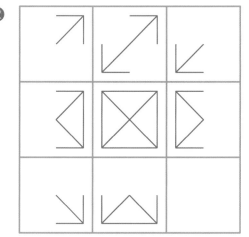

❸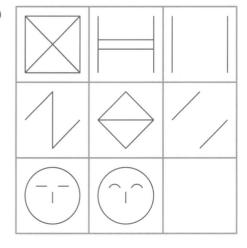

❹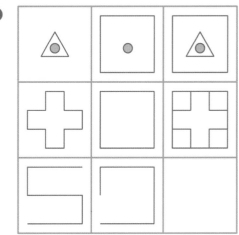

❺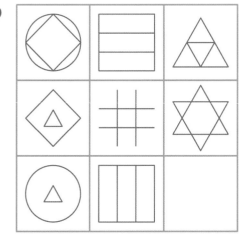

❻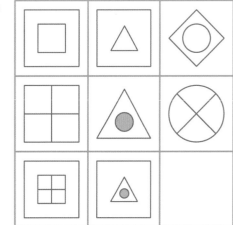

✏️ 왼쪽 두 도형의 관계를 보고 오른쪽 두 도형도 같은 관계가 되도록 빈 곳에 알맞은 도형을 그려 보세요.

❶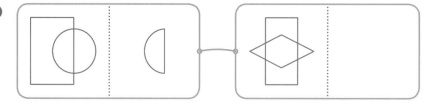

❷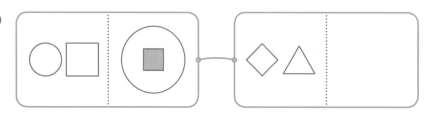

✏️ 규칙에 맞게 빈 곳에 알맞은 그림을 그려 넣으세요.

❸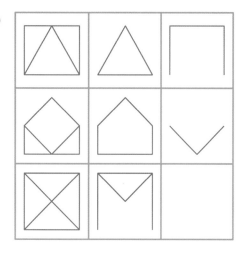

❹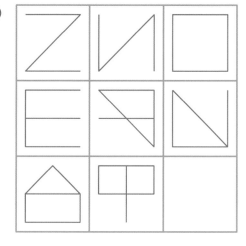

약속

약속 상자

✏️ 약속 상자의 규칙을 보고 ☐ 안에 알맞은 수를 써넣으세요.

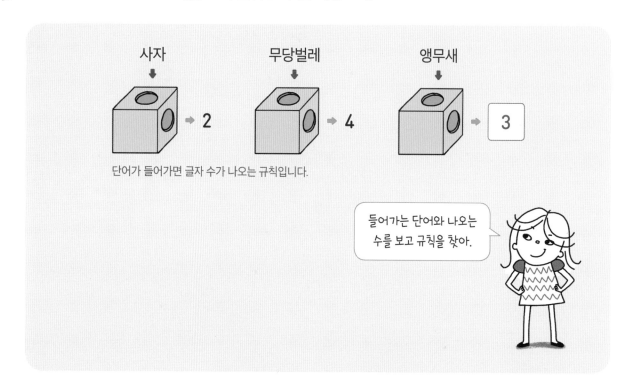

사자 → 2

무당벌레 → 4

앵무새 → 3

단어가 들어가면 글자 수가 나오는 규칙입니다.

들어가는 단어와 나오는 수를 보고 규칙을 찾아.

❶
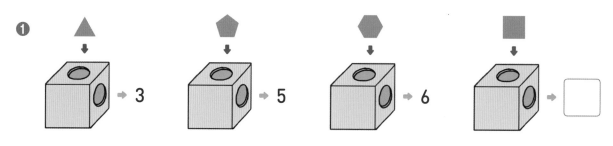

▲ → 3

⬠ → 5

⬡ → 6

◼ →

❷
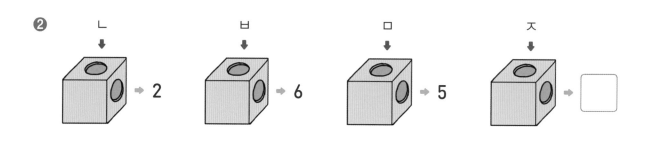

ㄴ → 2

ㅂ → 6

ㅁ → 5

ㅈ →

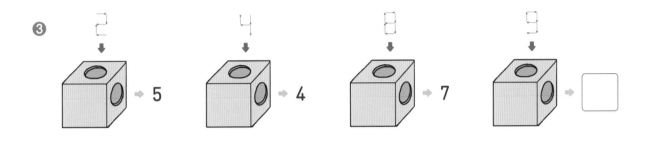

❸

2 → 5   4 → 4   8 → 7   9 → ☐

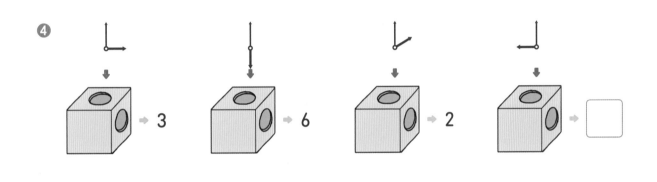

❹

→ 3   → 6   → 2   → ☐

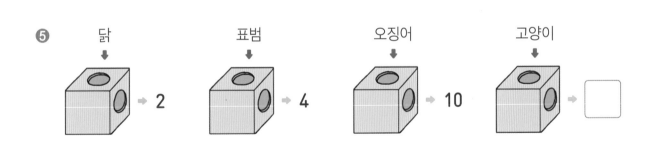

❺

닭 → 2   표범 → 4   오징어 → 10   고양이 → ☐

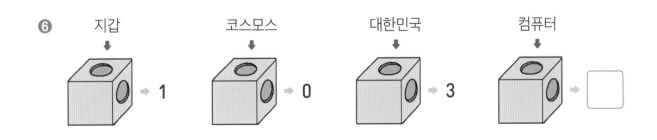

❻

지갑 → 1   코스모스 → 0   대한민국 → 3   컴퓨터 → ☐

✏️ 연산 기호 #을 다음과 같이 약속할 때 ☐ 안에 알맞은 수를 써넣으세요.

● # ■ = (● × ■) - ●

➡ ●와 ■의 곱에서 ●를 뺀 수

13 # 8 = 91

(● × ■) - ●
이 식의 ● 대신에 13,
■ 대신에 8을 써서 계산해.

연산 약속에 맞게 계산해 봅니다.
13 # 8 = (13 × 8) - 13
＝ 104 - 13 = 91

❶
● # ■ = ● + ■ + 1

➡ ●와 ■의 합에 1을 더한 수

8 # 6 = ☐

5 # 13 = ☐

❷
● # ■ = ● × ■ × 2

➡ ●와 ■의 곱에 2를 곱한 수

7 # 6 = ☐

12 # 4 = ☐

❸

● # ■ = (● × 5) − ■

➡ ●와 5의 곱에서 ■를 뺀 수

14 # 8 = ⬚

17 # 10 = ⬚

❹

● # ■ = (● + 12) ÷ ■

➡ ●와 12의 합을 ■로 나눈 몫

8 # 4 = ⬚

18 # 3 = ⬚

❺

● # ■ = (● × ●) + ■

➡ ●와 ●의 곱에 ■를 더한 수

11 # 1 = ⬚

7 # 15 = ⬚

❻

● # ■ = (● + ●) − ■

➡ ●와 ●의 합에서 ■를 뺀 수

9 # 12 = ⬚

20 # 5 = ⬚

연산 약속 찾아 계산하기

✎ 연산 기호 ⊙의 약속에 따라 계산한 것입니다. ☐ 안에 알맞은 수를 써넣으세요.

$4 ⊙ 5 = 13$	$6 ⊙ 2 = 14$	$7 ⊙ 11 = 25$

$$15 ⊙ 3 = \boxed{33}$$

⊙는 앞의 수에 2를 곱한 후 뒤의 수를 더합니다.
$15 ⊙ 3 = (15 × 2) + 3 = 30 + 3 = 33$

앞의 수에 2를 곱해 봐.
규칙이 보이지?

❶

$5 ⊙ 7 = 10$	$6 ⊙ 3 = 7$	$12 ⊙ 9 = 19$

$$4 ⊙ 11 = \boxed{}$$

❷

$2 ⊙ 4 = 3$	$5 ⊙ 11 = 8$	$12 ⊙ 2 = 7$

$$10 ⊙ 14 = \boxed{}$$

❸

$4 \odot 5 = 18$ | $7 \odot 8 = 30$ | $9 \odot 10 = 38$

$6 \odot 12 = \boxed{}$

❹

$7 \odot 4 = 35$ | $8 \odot 6 = 56$ | $10 \odot 3 = 40$

$9 \odot 4 = \boxed{}$

❺

$1 \odot 5 = 11$ | $8 \odot 10 = 28$ | $16 \odot 8 = 32$

$12 \odot 9 = \boxed{}$

❻

$4 \odot 1 = 17$ | $5 \odot 3 = 28$ | $10 \odot 7 = 107$

$8 \odot 4 = \boxed{}$

도형 약속에 맞게 빈칸 채우기

✏️ 도형의 약속에 맞게 빈 곳에 알맞은 수를 써넣으세요.

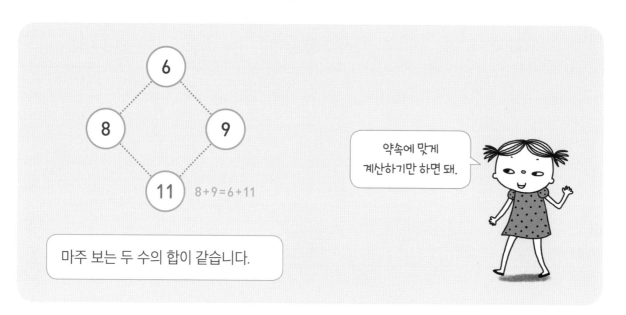

$8+9=6+11$

마주 보는 두 수의 합이 같습니다.

약속에 맞게 계산하기만 하면 돼.

❶

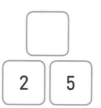

왼쪽 수가 십의 자리 오른쪽 수가 일의 자리인 두 자리 수입니다.

❷

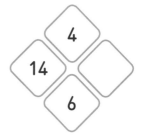

위아래 두 수의 곱과 왼쪽, 오른쪽 두 수의 합이 같습니다.

❸
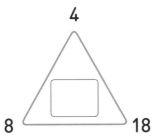

세 수의 합의 절반이 가운데 수입니다.

❹
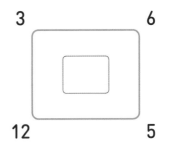

네 수 중 가장 큰 수와 가장 작은 수의 곱이 가운데 수입니다.

❺
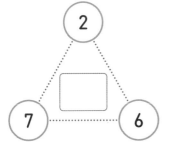

세 수의 곱의 각 자리 숫자의 합이 가운데 수입니다.

❻
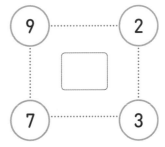

위쪽 두 수의 합과 아래쪽 두 수의 차를 곱한 결과가 가운데 수입니다.

도형 약속 찾아 빈칸 채우기

✏️ 규칙을 찾아 빈 곳에 알맞은 수를 써넣으세요.

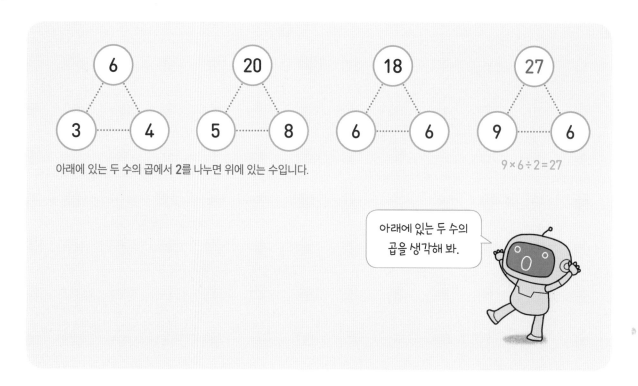

아래에 있는 두 수의 곱에서 2를 나누면 위에 있는 수입니다.

$9 \times 6 \div 2 = 27$

아래에 있는 두 수의
곱을 생각해 봐.

❶
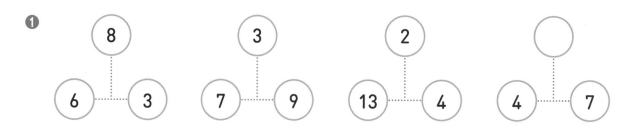

❷
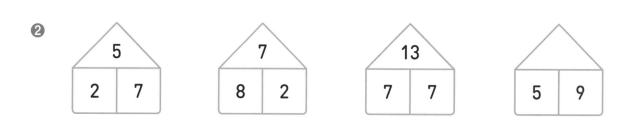

❸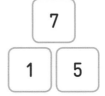

7	10	19
1 5	4 2	8 3

11 7

❹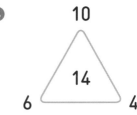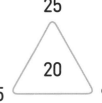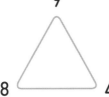

❺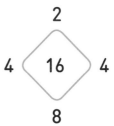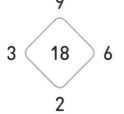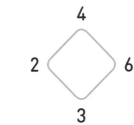

❻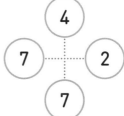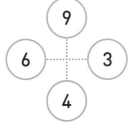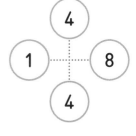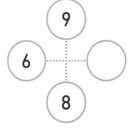

◆ 연산 기호 ※의 약속에 따라 계산한 것입니다. ☐ 안에 알맞은 수를 써넣으세요.

❶

| 3 ※ 7 = 18 | 5 ※ 8 = 35 | 3 ※ 14 = 39 |

12 ※ 7 = ☐

❷

| 8 ※ 7 = 23 | 9 ※ 10 = 28 | 17 ※ 2 = 36 |

6 ※ 13 = ☐

◆ 규칙을 찾아 빈 곳에 알맞은 수를 써넣으세요.

❸

| 7 | 5 | 5 | 2 | 9 | 6 | 10 | 4 |

24   14   30   ☐

❹

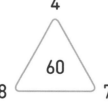
2
26
6   4

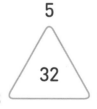
4
60
8   7

5
32
3   9

8
5   4

마무리 평가

마무리 평가는 앞에서 공부한 4주차의 유형이 다음과 같은 순서로 나와요.
틀린 문제는 몇 주차인지 확인하여 반드시 다시 한 번 학습하도록 해요.

1주차	**3**주차
2주차	**4**주차

✤ ☐ 안의 단어와 공통점이 없는 단어를 찾아 ✕표 하세요.

❶

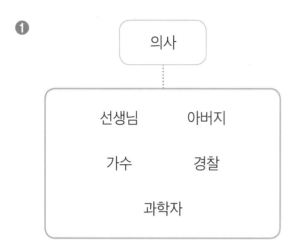

의사

선생님　　아버지

가수　　　경찰

과학자

❷

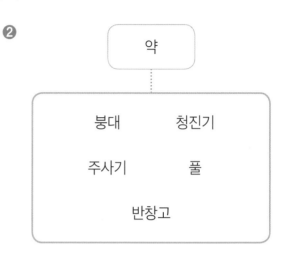

약

붕대　　　청진기

주사기　　　풀

반창고

✤ 암호표를 보고 주어진 암호의 각 모양이 나타내는 숫자 또는 연산 기호를 쓴 후 식을 계산해 보세요.

<암호표>

1	8	7
2	9	6
3	4	5

❸ 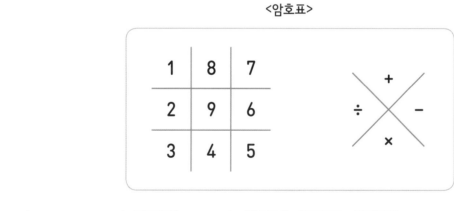 └ ⌐ ⌐ < ⌐ ☐ ⌐ = ☐

❹ ☐ ⊏ ∨ ⊏ ∨ ⊔ ⌐ = ☐

✿ 왼쪽 두 도형의 관계를 보고 오른쪽 두 도형도 같은 관계가 되도록 빈 곳에 알맞은 도형을 찾아
○표 하세요.

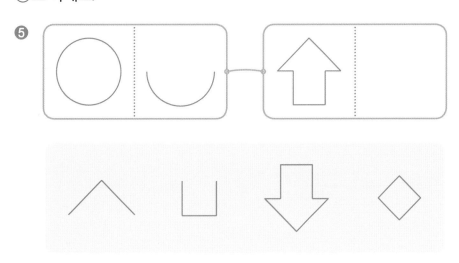

❺

✿ 연산 기호 @를 다음과 같이 약속할 때 ☐ 안에 알맞은 수를 써넣으세요.

❻

●@■ = (● + ■) × ■
➜ ●와 ■의 합에 ■를 곱한 수

3 @ 7 = ☐

13 @ 5 = ☐

❼

●@■ = (● × 8) ÷ ■
➜ ●와 8의 곱을 ■로 나눈 몫

6 @ 3 = ☐

9 @ 4 = ☐

✦ 기준에 따라 그림을 왼쪽과 오른쪽으로 나누었습니다. 잘못 들어간 그림을 찾아 ✕표 하세요.

❶

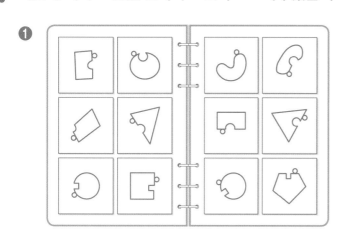

✦ 곱 암호의 규칙을 찾아 암호를 해독해 보세요. (노랑×초록)의 순서로 문자를 찾습니다.

<곱 암호표>

×	1	2	3	4	5	6
1	ㄱ	ㅇ	ㅈ	ㅑ	ㅓ	ㅣ
2	ㄴ	ㅅ	ㅊ	ㅏ	ㅕ	ㅡ
3	ㄷ	ㅂ	ㅋ	ㅎ	ㅗ	ㅠ
4	ㄹ	ㅁ	ㅌ	ㅍ	ㅛ	ㅜ

❷

(2×1) (4×2) (4×3) (5×3) (2×3)   ➡ _____

❸

(1×2) (4×2) (2×4) (6×4) (2×2) (2×1) (6×1) (4×4)   ➡ _____

♣ 규칙에 맞게 빈 곳에 알맞은 그림을 그려 넣으세요.

❹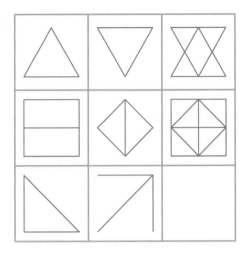

❺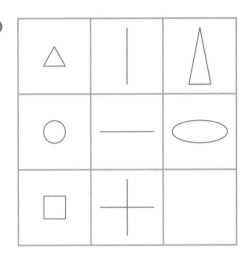

♣ 약속 상자의 규칙을 보고 ☐ 안에 알맞은 수를 써넣으세요.

❻

오토바이   헬리콥터   세발자전거   승용차

 → 2   → 0   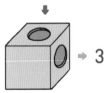 → 3   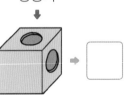 →

❼

눈   입   발   손가락

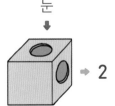 → 2   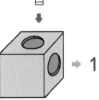 → 1   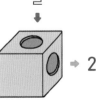 → 2   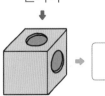 →

✦ 기준에 따라 나누어진 것을 보고 빈 곳에 알맞은 문자를 찾아 선으로 이어 보세요.

❶

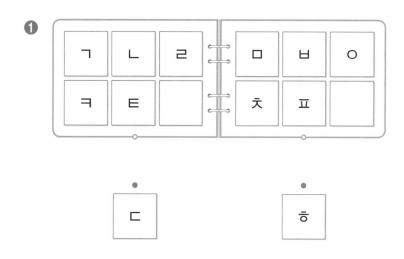

✦ 카이사르 암호표를 다음과 같이 원 모양으로 만들었습니다. 파란색은 암호, 흰색은 해독 단어일 때 다음 암호를 해독해 보세요.

<카이사르 암호표>

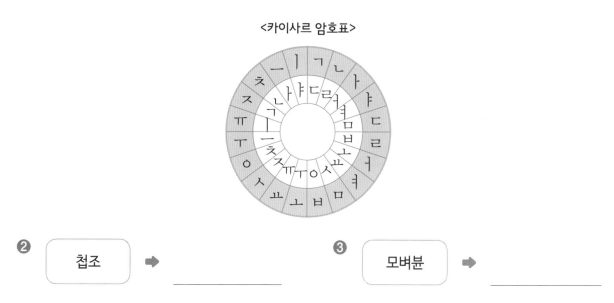

❷ 첩조 ➡ _____

❸ 모벼뷴 ➡ _____

✢ 왼쪽 두 단어의 관계를 보고 오른쪽 두 단어도 같은 관계가 되도록 빈 곳에 알맞은 단어를 써넣으세요.

❹

| 골키퍼 | 축구 | | 투수 | |

❺

| 뉴욕 | 미국 | | 서울 | |

❻

| 오전 | 오후 | | 낮 | |

✢ 도형의 약속에 맞게 빈 곳에 알맞은 수를 써넣으세요.

❼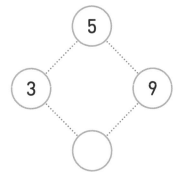

마주 보는 두 수의 차가 같습니다.

❽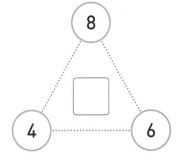

세 수의 곱의 일의 자리 숫자가 가운데 수입니다.

✤ 누누를 찾아 ○표 하세요.

❶
- 안경은 누누입니다.
- 필통은 누누가 아닙니다.
- 장갑은 누누입니다.
- 물은 누누가 아닙니다.
- 목도리는 누누입니다.

| 휴대폰 | 저금통 |
| 마스크 | 지우개 |

❷
- 수영장은 누누입니다.
- 눈사람은 누누가 아닙니다.
- 새싹은 누누가 아닙니다.
- 선풍기는 누누입니다.
- 부채는 누누입니다.

| 고드름 | 단풍잎 |
| 난로 | 튜브 |

✤ 곱 암호표의 규칙을 찾아 암호표를 완성한 후, 다음 단어를 곱 암호로 만들어 보세요. 알파벳은 A B C D E F G H I J K L M N O P Q R S T U V W X Y의 순서로 쓰고, (노랑 × 초록)의 순서로 암호를 완성합니다.

❸   〈곱 암호표〉

×	1	2	3	4	5
1	A	B			E
2	J	I		G	F
3		L	M	N	
4	T		R	Q	P
5			W		Y

WHY

➡ _____

KOREA

➡ _____

✿ 왼쪽 두 도형의 관계를 보고 오른쪽 두 도형도 같은 관계가 되도록 빈 곳에 알맞은 도형을 그려 보세요.

❹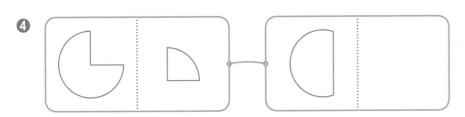

❺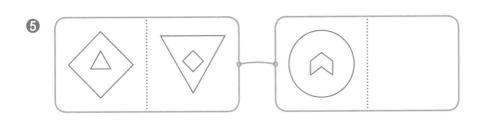

✿ 규칙을 찾아 빈 곳에 알맞은 수를 써넣으세요.

❻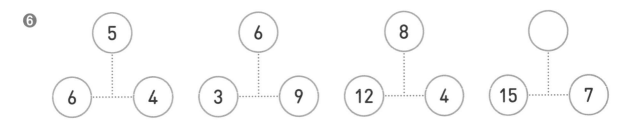

❼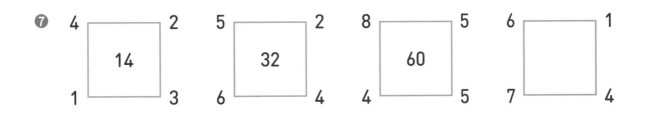

✚ 뚜뚜를 찾아 ○표 하세요.

❶

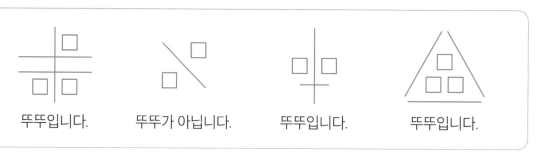

뚜뚜입니다.   뚜뚜가 아닙니다.   뚜뚜입니다.   뚜뚜입니다.

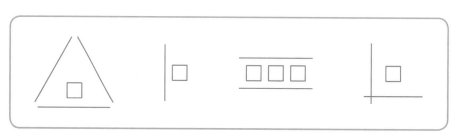

✚ 다음 스키테일 암호를 해독해 보세요.

❷

| 함 | 하 | 께 | 는 | 성 | 우 | 장 | 리 |

➡ _____

❸

| 나 | 다 | 날 | 비 | 운 | 아 | 는 | 날 | 다 | 아 | 개 | 녀 | 름 | 로 | 요 |

➡ _____

❹

| 약 | 반 | 지 | 합 | 속 | 드 | 켜 | 니 | 은 | 시 | 야 | 다 |

➡ _____

◆ 규칙에 맞게 빈 곳에 알맞은 그림을 그리거나 알맞게 색칠하세요.

❺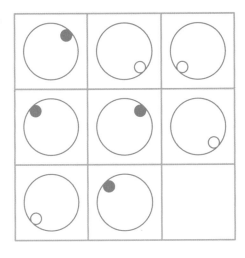

❻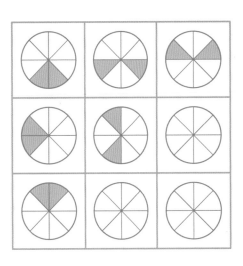

◆ 연산 기호 ☆의 약속에 따라 계산한 것입니다. ☐ 안에 알맞은 수를 써넣으세요.

❼

| 6☆5 = 66 | 2☆7 = 18 | 4☆9 = 52 |

3☆8 = ☐

❽

| 4☆6 = 18 | 9☆7 = 56 | 12☆5 = 55 |

8☆11 = ☐

pensées

지식과상상 연구소 ^{since 2013}

대표 한헌조, 연구소장 김성국

창의적인 **생각** / 재미 가득 **활동** / 의미 있는 **지식** / 자유로운 **상상** 을

수학이라는 그릇에 아름답게 담아내겠습니다.

교구 프로그램

- 우리 아이 첫 번째 선물 **아토**
- 유아 수학 7대 지능 프로그램 **마테킨더**
- 유아 창의사고력 활동 수학 프로그램 **씨투엠키즈**
- 초등 창의사고력 수학 교구 프로그램 **씨투엠클래스**
- 초등 교과 창의 보드게임 **초등 수학 교구 상자**
- 사고가 자라는 수학 **매쓰업**
- 3D 두뇌 트레이닝 **지오플릭**
- 생각을 감는 두뇌회전 놀이 **릴브레인**

교재 시리즈

- 공간 감각을 위한 하루 10분 도형 학습지 **플라토**
- 실전 사고력 수학 프로그램 **씨투엠RAT**
- 하루 10분 서술형/문장제 학습지 **수학독해**
- 상위권으로 가는 문제해결 연산 학습지 **응용연산**
- 사고력수학의 시작 **팡세**

수학으로 하나되는 무한 상상공간 **필즈엠 카페**

필즈엠 ▼

http://cafe.naver.com/fieldsm

1. 답안지 분실 시 다운로드
2. 교구 활동지 다운로드
3. 연령별 학습 커리큘럼 제안
4. 교육 모임
5. 영상 학습자료 지원

필즈엠 카페는 최신 교육정보 및 다양한 학습자료를 자유롭게 공유하는 열린 공간입니다.

'사고력수학의 시작'

펜세

pensées

C3

정답과 풀이

DAY 1

공통점과 차이점 찾기
공통점이 없는 단어 찾기

✏️ □ 안의 단어와 공통점이 없는 단어를 찾아 ✗표 하세요.

할머니는 가족! 가족과 관계 없는 단어를 찾아봐.

① 비둘기

타조   다람쥐
부엉이   참새
독수리

비둘기, 타조, 부엉이, 참새, 독수리
는 새지만 다람쥐는 새가 아닙니다.

② 사과

복숭아   참외
딸기   배
자두

사과, 복숭아, 참외, 딸기, 자두는 과
일이지만 배추는 채소입니다.

할머니

삼촌   이모
할아버지   아빠
선생님

할머니, 삼촌, 이모, 할아버지, 아빠는 가족 관계이지만,
선생님은 직업입니다.

---

③ 운동화

구두   정장
등산화   슬리퍼
장화

운동화, 구두, 등산화, 슬리퍼, 장화
는 신발이지만 정장은 옷입니다.

④ 버스

트럭   비행기
전화기   배
기차

버스, 트럭, 비행기, 배, 기차는 탈 것
이지만 전화기는 탈 것이 아닙니다.

⑤ 대한민국

영국   영국
미국   중국
프랑스

대한민국, 영국, 미국, 중국, 프랑스
는 나라이지만 부산은 나라가 아닙
니다.

⑥ 주스

우유   물
피자   콜라
사이다

주스, 우유, 물, 사이다, 콜라는 마시
는 것이지만 피자는 마시는 것이 아
닙니다.

DAY 2 바뀐 그림 찾기

✎ 기준에 따라 그림을 왼쪽과 오른쪽으로 나누었습니다. 잘못 들어간 그림을 찾아 ×표 하세요.

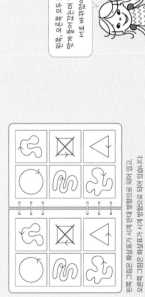

왼쪽, 오른쪽 모두 5개는 맞게 들어갔는데 1개가 서로 바뀌었어.

오른쪽 그림은 선으로 삼각형, 사각형, 육각형 모양을 만들었지만 오른쪽 그림은 그렇 지 않습니다.

❶

오른쪽 그림은 선과 원이 한 점에서 만나서 있지 않지만 오른쪽 그림은 선으로 둘러싸여 있습니다.

❷

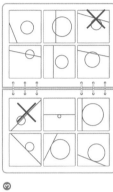

오른쪽 그림은 선과 원이 한 점에서 만나지만 오른쪽 그림은 선과 원이 한 점에서 만나 지 않습니다.

❸

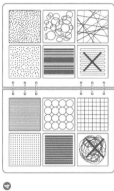

오른쪽 그림은 모양이 규칙적이지만 오른쪽 그림은 모양이 불규칙적입니다.

❹

1주차 공통점과 차이점

DAY 3

문자 찾기

✎ 기준에 따라 나누어진 것을 보고 빈 곳에 알맞은 문자를 찾아 선으로 이어 보세요.

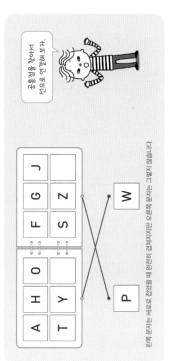

공통점을 찾아서 선으로 연결해 보자.

A	H	O	F	G	J
T	Y		S	Z	

P   W

왼쪽 문자는 세로로 접었을 때 완전히 겹쳐지지만 오른쪽 문자는 그렇지 않습니다.

❶

A	F	N	B	E	M
H	Z		O	R	

Y   S

왼쪽 문자는 곡은 선 3개로 만든 것이지만 오른쪽 문자는 그렇지 않습니다.

---

❷

C	L	M	E	F	H
S	W		K	X	

V   Y

왼쪽 문자는 연필을 떼지 않고 한 번에 쓸 수 있지만 오른쪽 문자는 그렇지 않습니다.

❸

A	D	O	C	I	K
P	R	S		S	U

G   B

왼쪽 문자는 선으로 둘러싸인 부분이 있지만 오른쪽 문자는 그렇지 않습니다.

❹

B	C	E	A	F	J
H	X		Q	Z	

R   O

왼쪽 문자는 가로로 접었을 때 완전히 겹쳐지지만 오른쪽 문자는 그렇지 않습니다.

DAY 4

이 단어는 로로입니까?

로로를 찾아 ○표 하세요.

로로는 땅속에 있는 동물과 관련이 있어.

• 사슴은 로로입니다.
• 상어는 로로가 아닙니다.
• 호랑이는 로로입니다.
• 비둘기는 로로가 아닙니다.
• 쥐는 로로입니다.

독수리　오징어
토끼　제비

①
• 오토바이는 로로입니다.
• 책상은 로로가 아닙니다.
• 기차는 로로입니다.
• 선풍기는 로로가 아닙니다.
• 트럭은 로로입니다.

로로는 탈 것입니다.

안경　자전거
컴퓨터　공기청정기

②
• 잠자리는 로로입니다.
• 거북은 로로가 아닙니다.
• 개미는 로로입니다.
• 달팽이는 로로가 아닙니다.
• 메뚜기는 로로입니다.

로로는 곤충입니다.

고슴도치　다람쥐
참새　나비

③
• 리코더는 로로입니다.
• 트럼펫은 로로입니다.
• 하모니카는 로로가 아닙니다.
• 기타는 로로가 아닙니다.
• 북은 로로가 아닙니다.

로로는 입으로 불어서 소리를 내는 악기입니다.

탬버린　바이올린
피리　피아노

④
• 농구는 로로입니다.
• 테니스는 로로입니다.
• 수영은 로로가 아닙니다.
• 볼링은 로로입니다.
• 태권도는 로로가 아닙니다.

로로는 공을 사용하는 스포츠입니다.

축구　유도
양궁　권투

⑤
• 비행기는 로로입니다.
• 버스는 로로가 아닙니다.
• 헬리콥터는 로로입니다.
• 갈매기는 로로입니다.
• 호랑이는 로로가 아닙니다.

로로는 하늘을 날 수 있습니다.

트럭　기러기
고래　잠수함

pensées

DAY 5

이 도형은 모모입니까?

모모를 찾아 ○표 하세요.

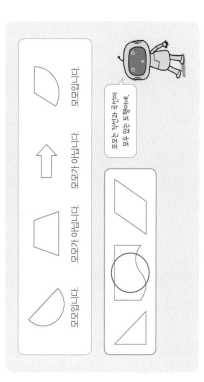

모모는 직선과 곡선이 모두 있는 도형이네.

모모입니다. 모모가 아닙니다. 모모가 아닙니다. 모모입니다.

①

모모입니다. 모모가 아닙니다. 모모입니다. 모모입니다.

모모는 아래쪽에 사각형이 2개 있습니다.

②

모모입니다. 모모가 아닙니다. 모모입니다. 모모입니다.

모모가 아닙니다. 모모입니다.

모모는 안쪽 도형과 직선이 한 점에서 만납니다.

③

모모입니다. 모모입니다. 모모가 아닙니다. 모모입니다.

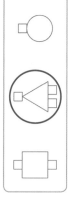

모모는 사각형 안에 있는 선과 원의 수가 같습니다.

확인학습

✏️ 기준에 따라 그림을 왼쪽과 오른쪽으로 나누었습니다. 잘못 들어간 그림을 찾아 ✕표 하세요.

①

왼쪽 그림은 오목한 부분이 깊고, 오른쪽 그림은 볼록한 부분이 깁니다.

✏️ 뿡뿡을 찾아 ◯표 하세요.

②
- 자전거는 뿡뿡입니다.
- 배는 뿡뿡이 아닙니다.
- 헬리콥터는 뿡뿡이 아닙니다.
- 기차는 뿡뿡입니다.
- 트럭은 뿡뿡입니다.

| 비행기 | 잠수함 |
| 오토바이 | 우주선 |

뿡뿡은 땅 위에서 타는 것입니다.

③
- 연필은 뿡뿡입니다.
- TV는 뿡뿡이 아닙니다.
- 자는 뿡뿡입니다.
- 태극기는 뿡뿡이 아닙니다.
- 공책은 뿡뿡입니다.

| 컴퓨터 | 지우개 |
| 버스 | 의자 |

뿡뿡은 학용품입니다.

DAY 1

스키테일 암호

pensées

스키테일 암호는 종이가 감긴 원통형 막대에 문장을 가로로 쓴 후 종이를 풀어 암호를 만드는 방법입니다.

다음 스키테일 암호를 해독해 보세요.

| 나 바 니 두 는 지 모 사 할 랑 두 아 머 모 해 |

나는 힘이 빠질 때마다 힘내니 모두 모두 사랑해
세 글자 간격으로 다시 써 봅니다.

두 글자, 세 글자, 네 글자, ...
와 같이 다양한 간격으로
글을 만들 수 있어.

❶ | 오 고 전 실 에 여 가 요 |

오전에 가고 싶어요
두 글자 간격으로 다시 써 봅니다.

❷ | 돌 겨 다 보 리 고 도 건 두 너 들 라 |

돌다리도 두들겨 보고 건너라
두 글자 간격으로 다시 써 봅니다.

18
광세 C3.유추

❸ | 소 외 고 외 앙 친 고 간 다 |

소 잃고 외양간 고친다
세 글자 간격으로 다시 써 봅니다.

❹ | 언 실 잤 니 예 습 가 들 니 교 어 다 |

언니가 교실에 들어갔습니다.
세 글자 간격으로 다시 써 봅니다.

❺ | 부 름 느 모 을 라 담 하 눅 심 고 있 부 오 어 |

부모님 심부름을 하고 오느라 늦었어
세 글자 간격으로 다시 써 봅니다.

❻ | 독 느 을 세 수 하 나 이 리 를 늘 다 |

독수리는 하늘을 나는 새이다
세 글자 간격으로 다시 써 봅니다.

❼ | 오 가 내 하 늘 그 일 집 은 니 비 고 맑 다 |

오늘은 비가 그치고 내일은 맑아집니다
세 글자 간격으로 다시 써 봅니다.

DAY 2 카이사르 암호

카이사르 암호는 글자를 일정하게 이동시켜 암호를 만드는 방법입니다.

카이사르 암호표를 다음과 같이 원 모양으로 만들었습니다.
보라색은 암호, 흰색은 해독 단어일 때 다음 암호를 해독해 보세요.

<카이사르 암호표>

> 보라색에서 ㅅ은 흰색에서 ㄱ이므로 ㅅ, ㅇ, ㅈ은 ㄱ, ㄴ, ㄷ으로 해독하면 돼.

조고 → 구두

① 신비 ← 맑류

② 만점 ← 독산

③ 사고력 ← 모자밭

④ 에러본 ← 바나롯

⑤ 구리 ← 드바

⑥ 낙서 ← 렁조

⑦ 친절 ← 날굼

⑧ 연습 ← 촐장

⑨ 그리스 ← 대버저

⑩ 별자리 ← 옵가바

⑪ 전신주 ← 끌걸그

⑫ 복숭아 ← 울줄처

pensées

DAY 3

곱 암호 해독

✎ 곱 암호의 규칙을 찾아 암호를 해독해 보세요.

〈곱 암호표〉

×	1	2	3	4	5	6
1	ㄱ	ㄴ	ㄷ	ㄹ	ㅁ	ㅂ
2	ㅅ	ㅇ	ㅈ	ㅊ	ㅋ	ㅌ
3	ㅍ	ㅎ	ㅏ	ㅑ	ㅓ	ㅕ
4	ㅗ	ㅛ	ㅜ	ㅠ	ㅡ	ㅣ

(2×2) (6×3) (4×1) (5×4) (5×1) ➡ **여름**

2×2=ㅇ, 6×3=ㅕ, 4×1=ㄹ, 5×4=ㅡ, 5×1=ㅁ

> 곱셈구구표처럼 생각해.
> (노란)×(초록)의 칸과 문자를 찾아.

① (1×1) (1×4) (5×1) (3×4) ➡ **고무**

② (1×2) (5×3) (2×1) (1×3) (3×4) (2×2) (1×1) (6×4) ➡ **선풍기**

③ (6×1) (3×4) (4×1) (3×2) (1×4) (1×2) (6×4) (5×1) ➡ **불조심**

〈곱 암호표〉

×	1	2	3	4	5	6
1	ㄱ	ㅁ	ㅈ	ㅍ	ㅓ	ㅜ
2	ㄴ	ㅂ	ㅊ	ㅎ	ㅕ	ㅠ
3	ㄷ	ㅅ	ㅋ	ㅏ	ㅗ	ㅡ
4	ㄹ	ㅇ	ㅌ	ㅑ	ㅛ	ㅣ

④ (2×2) (6×1) (1×2) (2×3) (6×1) ➡ **분수**

⑤ (1×1) (6×3) (1×4) (6×4) (2×1) (3×1) (4×3) ➡ **그림자**

〈곱 암호표〉

×	1	2	3	4	5	6
1	ㄱ	ㄴ	ㄷ	ㅂ	ㅇ	ㅈ
2	ㅊ	ㅁ	ㅎ	ㅍ	ㅓ	ㅏ
3	ㄹ	ㅑ	ㅌ	ㅕ	ㅛ	ㅜ
4	ㅅ	ㅋ	ㅡ	ㅗ	ㅠ	ㅣ

⑥ (2×2) (4×4) (1×4) (5×2) (1×3) (6×4) ➡ **모서리**

⑦ (2×4) (5×2) (2×2) (4×2) (5×4) (3×3) (5×2) ➡ **컴퓨터**

DAY 4

곱 암호표 만들기

곱 암호표의 규칙을 찾아 암호표를 완성한 후, 다음 단어를 곱 암호로 만들어 보세요.

알파벳은
ABCDEFGHIJKLM
NOPQRSTUVWXY
그리고 곱 암호표에는 없지만
Z가 있어.

<곱 암호표>

×	1	2	3	4	5
1	A	B	C	D	E
2	F	G	H	I	J
3	K	L	M	N	O
4	P	Q	R	S	T
5	U	V	W	X	Y

THINK ⬆ (5×4) (3×2) (4×2) (4×3) (1×3)

❶

<곱 암호표>

×	1	2	3	4	5
1	A	F	K	P	U
2	B	G	L	Q	V
3	C	H	M	R	W
4	D	I	N	S	X
5	E	J	O	T	Y

MATH ⬆ (3×3) (1×1) (4×5) (2×3)

SPRING ⬆ (4×4) (4×1) (4×3) (2×4)
(3×4) (2×2)

❷

<곱 암호표>

×	1	2	3	4	5
1	A	B	C	D	E
2	P	Q	R	S	F
3	O	X	Y	T	G
4	N	W	V	U	H
5	M	L	K	J	I

APPLE ⬆ (1×1) (1×2) (1×2) (2×5)
(5×1)

MOTHER ⬆ (1×5) (1×3) (4×3) (5×4)
(5×1) (3×2)

❸

<곱 암호표>

×	1	2	3	4	5
1	A	D	I	P	Y
2	B	C	H	O	X
3	E	F	G	N	W
4	J	K	L	M	V
5	Q	R	S	T	U

GIRL ⬆ (3×3) (3×1) (2×5) (3×4)

YELLOW ⬆ (5×1) (1×3) (3×4) (3×4)
(4×2) (5×3)

DAY 5

암호표와 계산

암호표를 보고 주어진 암호의 각 모양이 나타내는 숫자 또는 연산 기호를 쓴 후 식을 계산해 보세요.

<암호표>

1	2	3
4	5	6
7	8	9

× + ÷ −

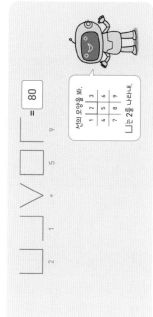

선의 모양을 봐.

1	2	3
4	5	6
7	8	9

나는 2를 나타내.

연산 기호가 2개 있는 식은 앞에서부터 차례로 계산하도록 해.

❶ = 36

❷ = 6

---

pensées

<암호표>

1	4	7
2	5	8
3	6	9

× + ÷ −

❸ = 282

❹ = 479

<암호표>

1	2	3
8	9	4
7	6	5

+ ÷ × −

❺ = 418

❻ = 71

확인학습

✏️ 다음 스키테일 암호를 해독해 보세요.

①

| 사 | 의 | 고 | 시 | 력 | 작 | 수 | 팡 | 학 | 세 |

⬆️

사고력 수학의 시작 팡세

두 글자 간격으로 다시 써 봅니다.

②

| 예 | 들 | 었 | 뻔 | 판 | 습 | 꽃 | 에 | 니 | 이 | 피 | 다 |

⬆️

예쁜 꽃이 들판에 피었습니다

세 글자 간격으로 다시 써 봅니다.

✏️ 암호표를 보고 주어진 암호의 각 모양이 나타내는 숫자 또는 연산 기호를 쓴 후 식을 계산해 보세요.

<암호표>

7	8	9
6	1	2
5	4	3

	+	
×		÷
	−	

③ △ △ ⊓ = 426

⬓ 4 ⬒ 8 ⬓ 3 ⊟ − △ 5 ⊓ 7

④ ⊐ ⊐ ⊏ = 450

⬒ 2 ⬓ 5 ⊟ × ⊐ 6 ⬒ × 3

3주차 유비 추론

DAY 1

단어 유추

왼쪽 두 단어의 관계를 보고 오른쪽 두 단어도 같은 관계가 되도록 빈 곳에 알맞은 단어를 써넣으세요.

| 장갑 | 손 | 양말 | 발 |

물건 · 신체
물건과 물건을 착용하는 신체입니다.

관계를 잘 생각해. 정답은 손에 끼고, 양말은 …… 음.

이 외에도 두 단어의 관계가 맞으면 정답입니다.

❶ 구급차 — 하얀색 / 소방차 — 빨간색
자동차와 자동차의 색깔입니다.

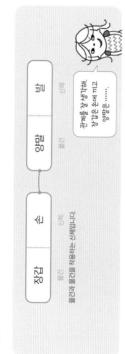

❷ 아저씨 — 아주머니 / 소년 — 소녀
성별은 다르지만 비슷한 나이입니다.

❸ 빵 — 접시 / 우유 — 컵
음식과 음식을 담는 그릇입니다.

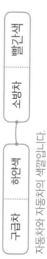

❹ 물감 — 붓 / 치약 — 칫솔
묻히는 것과 도구입니다.

---

pensées

이 외에도 두 단어의 관계가 맞으면 정답입니다.

❺ 노래 — 듣다 / 책 — 읽다
단어에 대한 행동입니다.

❻ 비누 — 화장실 / 냄비 — 부엌
물건과 물건이 있는 곳입니다.

❼ 밥솥 — 밥 / 정수기 — 물
물건과 물건 안에 있는 것입니다.

❽ 책상 — 나무 / 책 — 종이
물건과 물건을 만드는 재료입니다.

❾ 북극곰 — 북극 / 낙타 — 사막
동물과 동물이 있는 곳입니다.

❿ 물고기 — 어부 / 쌀 — 농부
음식과 음식과 관련된 직업입니다.

DAY 2

도형 유추 (1)

왼쪽 두 도형의 관계를 보고 오른쪽 두 도형도 같은 관계가 되도록 빈 곳에 알맞은 도형을 찾아
○표 하세요.

모양의 변화를
잘 살펴봐.

도형의 좌우 균형이 맞도록 윗부분만 이동하였습니다.

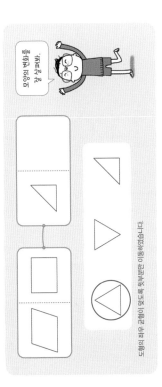

❶ 도형을 세로로 반으로 자른 후 왼쪽 부분과 오른쪽 부분을 서로 바꾸었습니다.

---

❷ 안쪽 선만 그렸습니다.

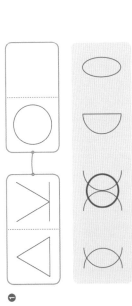

❸

❹ 큰 도형과 작은 도형을 서로 반쪽 시계 반대 방향으로 90°만큼 회전하였습니다.

도형을 위아래로 뒤집은 후 반전되었습니다.

3주차 유비 추론

DAY 3

도형 유추 (2)

왼쪽 두 도형의 관계를 보고 오른쪽 두 도형도 같은 관계가 되도록 빈 곳에 알맞은 도형을 그려 보세요.

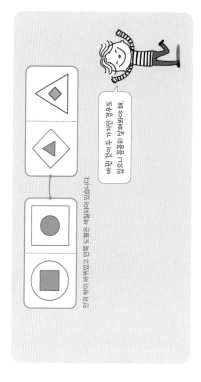

③
안쪽 도형을 가운데에 놓고, 바깥쪽 도형을 앙 앞에 놓았습니다. 도형을 모두 위아래로 눌렀습니다.

④
바깥쪽 선만 그렸습니다.

⑤
아래쪽 부분을 위로 뒤집은 후 붙였습니다. 이때 겹쳐지는 선은 그리지 않습니다.

⑥
두 도형을 이어 붙이면 정사각형입니다.

❶
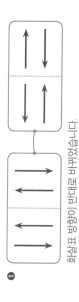 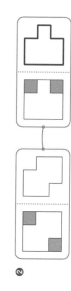
화살표 방향이 반대로 바뀌었습니다.

❷
색칠된 부분을 빼고 나머지를 그렸습니다.

DAY 4

매트릭스 유추 (1)

✎ 규칙에 맞게 빈 곳에 알맞은 그림을 그리거나 알맞게 색칠하세요.

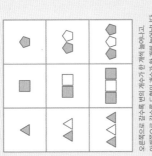

모양, 색깔, 개수
모두 단계별로 봐.

오른쪽으로 갈수록 변의 개수가 한 개씩 늘어나고,
아래쪽으로 갈수록 도형의 개수가 한 개씩 늘어납니다.
각 칸 안에서 도형은 색칠된 것과 색칠되지 않은 것이 반복됩니다.

❶

오른쪽으로 갈수록 화살표로 한 번
꺾습니다.
아래쪽으로 갈수록 시계 반대 방향으로
45°만큼 회전합니다.

❷

오른쪽으로 삼각형이 시계 방향으로
90°만큼 회전합니다.
아래쪽으로 갈수록 원이 커집니다.

---

❸

오른쪽으로 갈수록 색칠된 칸이 시
계 방향으로 한 칸, 두 칸만큼 회전
합니다.
아래쪽으로 갈수록 색칠된 칸이 시
계 반대 방향으로 한 칸만큼 회전합
니다.

❹

오른쪽으로 갈수록 시계 반대 방향
으로 90°만큼 회전합니다.
아래쪽으로 갈수록 시계 방향으로
90°만큼 회전합니다.

❺

오른쪽으로 갈수록 왼쪽에 색칠된
칸은 오른쪽으로, 오른쪽에 색칠된
칸은 왼쪽으로 이동합니다.
아래쪽으로 갈수록 위쪽에 색칠된
칸은 아래쪽으로, 아래쪽에 색칠된
칸은 위쪽으로 이동합니다.

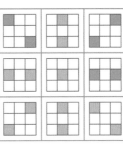

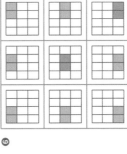

❻

오른쪽으로 갈수록 색칠된 칸이 오
른쪽으로 이동하고, 아래쪽으로 갈
수록 색칠된 칸이 아래쪽으로 이동
합니다.

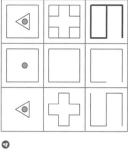

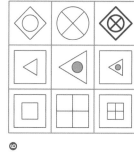

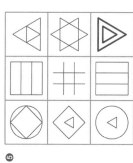

3주차 유비 추론

DAY 5 메트릭스 유추 (2)

✏️ 규칙에 맞게 빈 곳에 알맞은 그림을 그려 넣으세요.

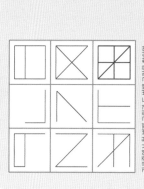

가로줄에서 첫 번째 그림과 두 번째 그림을 합치면 세 번째 그림입니다.

가로줄에서 첫 번째 그림과 두 번째 그림을 어떻게 하면 세 번째 그림이 나올지 생각해봐.

❶

가로줄에서 첫 번째 그림과 두 번째 그림을 합치되 겹치는 선을 삭제하면 세 번째 그림입니다.

❷

가로줄에서 두 번째 그림에서 첫 번째 그림을 빼면 세 번째 그림입니다.

❸

가로줄에서 첫 번째 그림과 두 번째 그림에 공통으로 있는 것만을 그린 것이 세 번째 그림입니다.

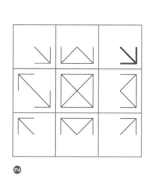

❺

세로줄에서 첫 번째 그림과 두 번째 그림을 합치되 겹치는 선을 삭제하면 세 번째 그림입니다.

❹

가로줄에서 첫 번째 그림과 두 번째 그림에 있는 것을 모두 그린 것이 세 번째 그림입니다.

❻

세로줄에서 첫 번째 그림의 안쪽 두 행에 두 번째 그림을 작게 하여 그린 것이 세 번째 그림입니다.

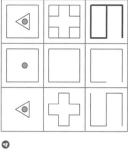

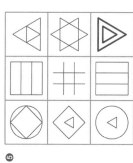

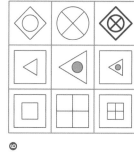

확인학습

✏ 왼쪽 두 도형의 관계를 보고 오른쪽 두 도형도 같은 관계가 되도록 빈 곳에 알맞은 도형을 그려 보세요.

①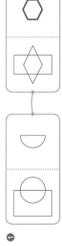

두 도형이 겹치는 부분이 선만 그렸습니다.

②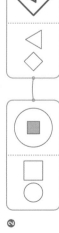

왼쪽 도형을 크게 그리고 그 안에 오른쪽 도형을 그린 후 색칠하였습니다.

✏ 규칙에 맞게 빈 곳에 알맞은 그림을 그려 넣으세요.

③

가로줄의 첫 번째에서 두 번째 그림을 빼면 세 번째 그림입니다.

④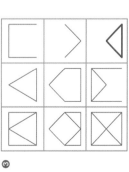

가로줄의 첫 번째 그림과 두 번째 그림을 합치되 겹치는 선을 삭제하면 세 번째 그림입니다.

4주차 약속

DAY 1

약속 상자

◆ 약속 상자의 규칙을 보고 □ 안에 알맞은 수를 써넣으세요.

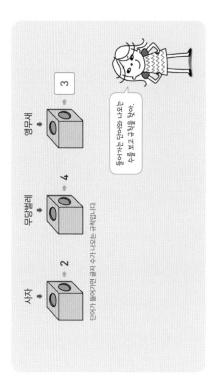

시작 → 2   무당벌레 → 4   앵무새 → 3

단어가 들어가면 글자 수가 나오는 규칙입니다.

> 들어가는 단어와 나오는 수를 보고 규칙을 찾아.

❶ ▲ → 3   ⬠ → 5   ⬡ → 6   ■ → 4

도형이 들어가면 변의 수가 나오는 규칙입니다.

❷ ㄴ → 2   ㅂ → 6   ㅁ → 5   ㅈ → 9

한글의 자음이 들어가면 자음의 순서가 나오는 규칙입니다.

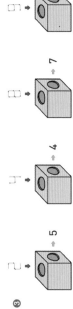 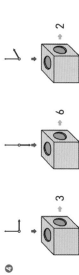 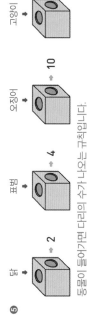 

❸ ㄱ → 2   ㄴ → 4   ㅁ → 7   ㅁ → 6

수가 들어가면 성냥개비 개수가 나오는 규칙입니다.

❹ ㄴ → 3   ㄴ → 6   ㄴ → 2   ㄱ → 9

짧은 화살표는 시계의 짧은바늘, 긴 화살표는 시계의 긴바늘입니다. 시곗바늘이 들어가면 몇 시인지 나오는 규칙입니다.

❺ 닭 → 2   표범 → 4   오징어 → 10   고양이 → 4

동물이 들어가면 다리의 수가 나오는 규칙입니다.

❻ 지갑 → 1   코스모스 → 0   대한민국 → 3   컴퓨터 → 1

단어가 들어가면 글자의 받침 수가 나오는 규칙입니다.

pensées

DAY 2

연산 약속에 맞게 계산하기

연산 기호 #을 다음과 같이 약속할 때 □ 안에 알맞은 수를 써넣으세요.

● # ■ = (● × ■) - ●
↑ ● 와 ■ 의 곱에서 ● 를 뺀 수

(● × ■ - ●)
이 식의 ● 대신에 13,
■ 대신에 8을 써서 계산해.

13 # 8 = 91
연산 약속에 맞게 계산해 봅니다.
13 # 8 = (13 × 8) - 13
= 104 - 13 = 91

❶ ● # ■ = ● + ■ + 1
↑ ● 와 ■ 의 합에 1을 더한 수

8 # 6 = 15
8 # 6 = 8 + 6 + 1 = 14 + 1 = 15
5 # 13 = 19
5 # 13 = 5 + 13 + 1 = 18 + 1 = 19

❷ ● # ■ = ● × ■ × 2
↑ ● 와 ■ 의 곱에 2를 곱한 수

7 # 6 = 84
7 # 6 = 7 × 6 × 2 = 42 × 2 = 84
12 # 4 = 96
12 # 4 = 12 × 4 × 2 = 48 × 2 = 96

❸ ● # ■ = (● × 5) - ■
↑ ● 와 5의 곱에서 ■ 를 뺀 수

14 # 8 = 62
14 # 8 = (14 × 5) - 8 = 70 - 8 = 62
17 # 10 = 75
17 # 10 = (17 × 5) - 10 = 85 - 10 = 75

❹ ● # ■ = (● + 12) ÷ ■
↑ ● 와 12의 합을 ■ 로 나눈 몫

8 # 4 = 5
8 # 4 = (8 + 12) ÷ 4 = 20 ÷ 4 = 5
18 # 3 = 10
18 # 3 = (18 + 12) ÷ 3 = 30 ÷ 3 = 10

❺ ● # ■ = (● × ●) + ■
↑ ● 와 ● 의 곱에 ■ 를 더한 수

11 # 1 = 122
11 # 1 = (11 × 11) + 1 = 121 + 1 = 122
7 # 15 = 64
7 # 15 = (7 × 7) + 15 = 49 + 15 = 64

❻ ● # ■ = (● + ●) - ■
↑ ● 와 ● 의 합에서 ■ 를 뺀 수

9 # 12 = 6
9 # 12 = (9 + 9) - 12 = 18 - 12 = 6
20 # 5 = 35
20 # 5 = (20 + 20) - 5 = 40 - 5 = 35

연산 약속 찾아 계산하기

✎ 연산 기호 ⊙의 약속에 따라 계산한 것입니다. ☐ 안에 알맞은 수를 써넣으세요.

4⊙5=13	6⊙2=14	7⊙11=25

15⊙3= 33

⊙는 앞의 수에 2를 곱한 후 뒤의 수를 더합니다.
15⊙3=(15×2)+3=30+3=33

> 앞의 수에 2를 곱해 봐.
> 그럼 규칙이 보여!

❶
5⊙7=10	6⊙3=7	12⊙9=19

4⊙11= 13

●⊙■=(●+■)-2
4⊙11=(4+11)-2
=15-2=13

❷
2⊙4=3	5⊙11=8	12⊙2=7

10⊙14= 12

●⊙■=(●+■)÷2
10⊙14=(10+14)÷2
=24÷2=12

❸
4⊙5=18	7⊙8=30	9⊙10=38

6⊙12= 36

●⊙■=(●+■)×2
6⊙12=(6+12)×2
=18×2=36

❹
7⊙4=35	8⊙6=56	10⊙3=40

9⊙4= 45

●⊙■=(●×■)+●
9⊙4=(9×4)+9
=36+9=45

❺
1⊙5=11	8⊙10=28	16⊙8=32

12⊙9= 30

●⊙■=●+■+■
12⊙9=12+9+9
=21+9=30

❻
4⊙1=17	5⊙3=28	10⊙7=107

8⊙4= 68

●⊙■=(●×●)+■
8⊙4=(8+8)+4
=64+4=68

DAY 4

도형 약속에 맞게 빈칸 채우기

도형의 약속에 맞게 빈 곳에 알맞은 수를 세넣으세요.

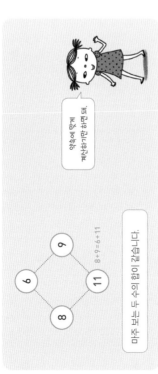

약속에 맞게 계산하기만 하면 돼.

8+9=6+11

마주 보는 두 수의 합이 같습니다.

❶

| 25 |
| 2 5 |

왼쪽 수가 십의 자리 오른쪽 수가 일의 자리인 두 자리 수입니다.

❷

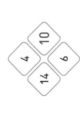

위아래 두 수의 곱과 왼쪽, 오른쪽 두 수의 합이 같습니다.

$4 \times 6 = 14 + 10$

❸

4

15

8   18

세 수의 합의 절반이 가운데 수입니다.

$(4+8+18) \div 2 = 15$

❹

3   36

12

6

5

네 수 중 가장 큰 수와 가장 작은 수의 곱이 가운데 수입니다.

가장 큰 수: 12
가장 작은 수: 3
$12 \times 3 = 36$

❺

2

12

6   7

세 수의 곱의 각 자리 숫자의 합이 가운데 수입니다.

$2 \times 7 \times 6 = 84$
$8 + 4 = 12$

❻

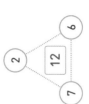

위쪽 두 수의 합과 아래쪽 두 수의 차를 곱한 결과가 가운데 수입니다.

$9 + 2 = 11, 7 - 3 = 4$
$11 \times 4 = 44$

4주차 약속

DAY 5 도형 약속 찾아 빈칸 채우기

규칙을 찾아 빈 곳에 알맞은 수를 써넣으세요.

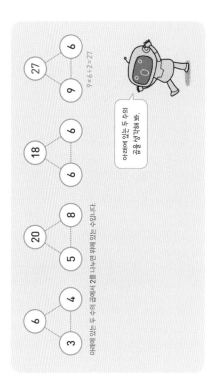

$9 \times 6 \div 2 = 27$

아래에 있는 두 수의 곱을 생각해 봐.

아래에 있는 두 수의 곱에서 2를 나누면 위에 있는 수입니다.

❶ 아래에 있는 두 수의 곱의 일의 자리 숫자가 위에 있는 수입니다.

❷ 아래에 있는 두 수의 곱의 각 자리 숫자의 합이 위에 있는 수입니다.

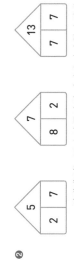

50 퐁세 C3 유추

---

pensées

③

7	10	19	29
1	4	8	11
5	2	3	7

(왼쪽 수)+(왼쪽 수)+(오른쪽 수)=(위의 수)입니다.

④

아래 두 수의 곱에서 위의 수를 뺀 결과가 가운데 수입니다.

⑤

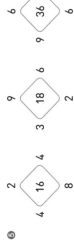

마주 보는 두 수의 곱셈 결과가 가운데 수입니다.

⑥

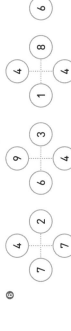

위아래에 있는 수의 곱은 왼쪽, 오른쪽에 있는 수의 곱을 2배한 것입니다.

4주_약속 51

확인학습

✏️ 연산 기호 ※의 약속에 따라 계산한 것입니다. ☐ 안에 알맞은 수를 써넣으세요.

①

| 3 ※ 7 = 18 | 5 ※ 8 = 35 | 3 ※ 14 = 39 |

●※■=(●×■)-●

12 ※ 7 = (12×7)-12
= 84-12=72

12 ※ 7 = 72

②

| 8 ※ 7 = 23 | 9 ※ 10 = 28 | 17 ※ 2 = 36 |

●※■=(●×2)+■

6 ※ 13 = (6×2)+13
=12+13=25

6 ※ 13 = 25

✏️ 규칙을 찾아 빈 곳에 알맞은 수를 써넣으세요.

③

| 7 5 | 5 2 | 9 6 | 10 4 |
| 24 | 14 | 30 | 28 |

위에 있는 두 수의 합에서 2를 곱하면 아래에 있는 수입니다.

④

2 4 → 26 (6, 4)

5 9 → 60 (8, 7)

8 5 → 32 (3)

△ 28 (5, 4)

아래 두 수의 곱에서 위의 수를 더한 결과가 가운데 수입니다.

마무리 평가

TEST 1

❖ ① 안의 단어와 공통점이 없는 단어를 찾아 X표 하세요.

①

의사

선생님
가수 X̶과̶학̶자̶
경찰

②

약

붕대 X̶청̶진̶기̶
주사기 반창고

의사, 선생님, 가수, 경찰, 과학자는 직업이지만 아래지는 직업이 아니니 직업이지만 아래지는 직업이 아닙니다.

약, 붕대, 청진기, 주사기, 반창고는 병원에 있는 물건이지만 풀은 병원에 있는 물건이 아닙니다.

❖ 다음 암호표를 보고 주어진 암호의 각 모양이 나타내는 숫자 또는 연산기호를 쓴 후 식을 계산해 보세요.

〈암호표〉

1	8	7
2	9	6
3	4	5

+ - ÷ ×

③ = 318

④ = 187

❖ ⑤ 왼쪽 두 도형의 관계를 보고 오른쪽 두 도형도 같은 관계가 되도록 빈 곳에 알맞은 도형을 찾아 ○표 하세요.

도형이 아랫부분만 그렸습니다.

❖ ⑥ 연산 기호 @를 다음과 같이 약속할 때 □ 안에 알맞은 수를 써넣으세요.

@ = (● + ■) × ■
● 와 ■의 합에 ■를 곱한 수

3 @ 7 = $\boxed{70}$
3 @ 7 = (3+7)×7 = 10×7 = 70

13 @ 5 = $\boxed{90}$
13 @ 5 = (13+5)×5 = 18×5 = 90

⑦

@ = (● × 8) ÷ ■
● 와 8의 곱을 ■로 나누는 몫

6 @ 3 = $\boxed{16}$
6 @ 3 = (6×8)÷3 = 48÷3 = 16

9 @ 4 = $\boxed{18}$
9 @ 4 = (9×8)÷4 = 72÷4 = 18

TEST 2

마무리 평가

❖ ① 기준에 따라 그림을 왼쪽과 오른쪽으로 나누었습니다. 잘못 들어간 그림을 찾아 ×표 하세요.

음폭 파인 부분이 아래로 가게 했을 때
왼쪽 그림은 작은 원이 음폭 파인 부분의 왼쪽(◡)에 있고,
오른쪽 그림은 작은 원이 음폭 파인 부분의 오른쪽(◡)에 있습니다.

❖ 곱셈표의 규칙을 찾아 암호를 해독해 보세요. (노랑×초록)의 순서로 문자를 찾습니다.

<곱셈표>

×	1	2	3	4	5	6
1	ㄱ	ㅇ	ㅈ	ㅑ	ㅓ	ㅣ
2	ㄴ	ㅅ	ㅊ	ㅏ	ㅕ	ㅡ
3	ㄷ	ㅂ	ㅋ	ㅎ	ㅗ	ㅠ
4	ㄹ	ㅁ	ㅌ	ㅍ	ㅛ	ㅜ

② (2×1) (4×2) (4×3) (5×3) (2×3)   ⬆   아홉

③ (1×2) (4×2) (2×4) (6×4) (2×2) (2×1) (6×1) (4×4)   ⬆   나뭇잎

❖ ④ 규칙에 맞게 빈 곳에 알맞은 그림을 그려 넣으세요.

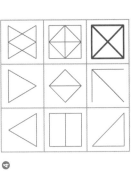

가로줄에서 첫 번째 그림과 두 번째 그림에 있는 것을 모두 그린 것이 세 번째 그림입니다.

⑤

가로줄에서 첫 번째 그림을 두 번째 그림의 방향으로 돌린 것이 세 번째 그림입니다.

❖ ⑥ 약속 상자의 규칙을 보고 □ 안에 알맞은 수를 써넣으세요.

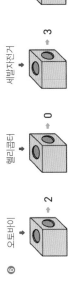

오토바이 ➜ 2　헬리콥터 ➜ 0　세발자전거 ➜ 3

탈 것이 들어가면 바퀴 수가 나오는 규칙입니다.

⑦

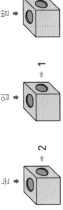

눈 ➜ 2　입 ➜ 1　발 ➜ 2　손가락 ➜ 10　승용차 ➜ 4

신체 부위가 들어가면 개수가 나오는 규칙입니다.

TEST 3
마무리 평가

❶ 기준에 따라 나누어진 것을 보고 빈 곳에 알맞은 문자를 찾아 선으로 이어 보세요.

ㄱ	ㅁ	ㅂ	ㅇ
ㅋ	ㄴ	ㅌ	
ㄷ	ㄹ	ㅊ	ㅍ

ㄷ — ㅎ

왼쪽 문자는 옆으로 받을 접을 때 완전히 겹쳐지지 않지만, 오른쪽 문자는 옆으로 받을 접을 때 완전히 겹쳐집니다.

❷ 카이사르 암호표를 다음과 같이 원 모양으로 만들었습니다. 파란색은 암호, 힌색으로 해독 단어일 때 다음 암호를 해독해 보세요.

<카이사르 암호표>

접조	→	농구

암호	ㅊ	ㄱ	ㅂ	ㅇ
단어	ㄴ	ㅗ	ㄱ	ㅜ

모범문	→	수요일

암호	ㅁ	ㅅ	ㅜ			
단어	ㅅ	ㅜ	ㅛ	ㅇ	ㅣ	ㄹ

이 외에도 두 단어의 관계가 맞으면 답입니다.

◆ 왼쪽 두 단어의 관계를 보고 오른쪽 두 단어도 같은 관계가 되도록 빈 곳에 알맞은 단어를 써넣으세요.

❹ 골키퍼 — 축구 　 투수 — 야구

스포츠와 선수의 역할입니다.

❺ 뉴욕 — 미국 　 서울 — 대한민국

도시와 도시가 속한 나라입니다.

❻ 오전 — 오후 　 낮 — 밤

시간에 대하여 반대말입니다.

◆ 도형의 약속에 맞게 빈 곳에 알맞은 수를 써넣으세요.

❼ 5 9 3 11

마주 보는 두 수의 차가 같습니다.
9-3=6이므로 11-5=6에서 11입니다.

❽ 8 2 6 4

세 수의 곱의 일의 자리 숫자가 가운데 수입니다.
8×4×6=1920이므로 일의 자리 숫자는 2입니다.

TEST 4

마무리 평가

❖ 누구를 찾아 ○표 하세요.

①
- 안경은 누구입니다.
- 필통은 누구가 아닙니다.
- 장갑은 누구입니다.
- 물은 누구가 아닙니다.
- 똑도리는 누구입니다.

누구는 사람의 몸에 착용할 수 있는 것입니다.

휴대폰　저금통
(마스크)　지우개

②
- 수영장은 누구입니다.
- 눈사람은 누구가 아닙니다.
- 새싹은 누구가 아닙니다.
- 선풍기는 누구입니다.
- 부채는 누구입니다.

누구는 여름과 관련되어 있습니다.

고드름　단풍잎
낙뢰　(튜브)

③ 곱셈표의 규칙을 찾아 암호표를 완성한 후, 다음 단어를 곱 암호로 만들어 보세요. 알파벳은 ABCDEFGHIJKLMNOPQRSTUVWXY의 순서로 쓰고, (가로×세로)의 순서로 암호를 완성합니다.

<곱셈표>

×	1	2	3	4	5
1	A	B	C	D	E
2	J	I	H	G	F
3	K	L	M	N	O
4	T	S	R	Q	P
5	U	V	W	X	Y

WHY
→ (3×5) (3×2) (5×5)

KOREA
→ (1×3) (5×3) (3×4) (5×1)
(1×1)

❖ 왼쪽 두 도형의 관계를 보고 오른쪽 두 도형도 같은 관계가 되도록 빈 곳에 알맞은 도형을 그려 보세요.

④

두 도형을 이으면 원입니다.

⑤

왼쪽 도형은 위아래로 뒤집은 후 크게 하고, 바깥쪽 도형은 작게 하였습니다.

❖ 규칙을 찾아 빈 곳에 알맞은 수를 써넣으세요.

⑥
5
6　4
3　9　8
6　12　4
11　15　7

아래에 있는 두 수의 합을 2로 나눈 몫이 위에 있는 수입니다.

⑦

	14	32	60	31	
4	2　2	5　8	6　5	6　7	1
	1　3	3　4	4　5	7　4	

대각선으로 마주 보고 있는 수끼리 곱한 후 더합니다.

TEST 5 마무리 평가

❖ 뚜뚜를 찾아 ○표 하세요.

①

뚜뚜입니다. 　 뚜뚜입니다. 　 뚜뚜가 아닙니다. 　 뚜뚜입니다.

뚜뚜입니다.

뚜뚜는 선과 사각형의 수가 같습니다.

❖ 다음 스키테일 암호를 해독해 보세요.

② 함 하 께 느 성 우 장 리

→ 함께 성장하는 우리

두 글자 간격으로 다시 써 봅니다.

③ 나 다 날 비 아 아 는 날 다 아 개 내 름 로

→ 나비는 아름다운 날개로 날아다녀요

세 글자 간격으로 다시 써 봅니다.

④ 안 반 지 함 속 도 켜 니 은 시 하 다

→ 약속은 반드시 지켜야 합니다

네 글자 간격으로 다시 써 봅니다.

62　문제 C3.유추

제한 시간　15분
맞은 개수　／8개
pensées

⑤ 규칙에 맞게 빈 곳에 알맞은 그림을 그리거나 알맞게 색칠하세요.

오른쪽으로 갈수록 작은 원이 시계 방향으로 90°만큼 회전합니다. 아래쪽으로 갈수록 작은 원이 시계 반대 방향으로 90°만큼 회전합니다. 이때 작은 원이 위쪽에 있으면 색칠합니다.

⑥

오른쪽으로 갈수록 색칠된 두 칸이 한 칸씩 옆으로 옮겨집니다. 아래쪽으로 갈수록 색칠된 칸이 시계 방향으로 두 칸씩 회전합니다.

❖ 연산 기호 ☆의 의속에 따라 계산한 것입니다. □ 안에 알맞은 수를 써넣으세요.

⑦ $6 ☆ 5 = 66$　$2 ☆ 7 = 18$　$4 ☆ 9 = 52$

$3 ☆ 8 =$ 33

$☆ = (● + ■) ×$ ●

$3 ☆ 8 = (3 + 8) × 3$
$= 11 × 3 = 33$

⑧ $4 ☆ 6 = 18$　$9 ☆ 7 = 56$　$12 ☆ 5 = 55$

$8 ☆ 11 =$ 77

$☆ = (● × ■) -$ ■

$8 ☆ 11 = (8 × 11) - 11$
$= 88 - 11 = 77$

63　마무리 평가

pensées

pensées

사고가 자라는 수학
씨투엠에듀 교재 로드맵

대상	사고력 사고력수학의 시작 팡세	도형 하루 10분 도형 학습지 플라토	연산 상위권으로 가는 연산 학습지 응용연산	서술형 하루 10분 서술형/문장제 학습지 수학독해	영재교육원 대비 영재교육원 관찰추천 사고력 수학 필즈수학
6세	S1 패턴 S2 퍼즐과 전략 S3 유추 S4 카운팅	S1 평면규칙 S2 도형조작 S3 입체설계 S4 공간지각	S1 10까지의 수 S2 20까지의 수 S3 한 자리 수 덧셈 S4 덧셈과 뺄셈	S1 9까지의 수 S2 방향과 위치 S3 더하기와 빼기 S4 속성 분류	
7세	P1 패턴 P2 퍼즐과 전략 P3 유추 P4 카운팅	P1 평면규칙 P2 도형조작 P3 입체설계 P4 공간지각	P1 50까지의 수 P2 100까지의 수 P3 덧셈과 뺄셈(1) P4 덧셈과 뺄셈(2)	P1 20까지의 수 P2 비교하기 P3 덧셈과 뺄셈 P4 모양과 규칙	
초1	A1 패턴 A2 퍼즐과 전략 A3 유추 A4 카운팅	A1 평면규칙 A2 도형조작 A3 입체설계 A4 공간지각	A1 한 자리 수 덧셈 A2 (십몇)-(몇) A3 덧셈과 뺄셈(1) A4 덧셈과 뺄셈(2)	A1 100까지의 수 A2 덧셈과 뺄셈 I A3 시계와 규칙 A4 덧셈과 뺄셈 II	
초2	B1 패턴 B2 퍼즐과 전략 B3 유추 B4 카운팅	B1 평면규칙 B2 도형조작 B3 입체설계 B4 공간지각	B1 곱셈구구 B2 나눗셈구구 B3 덧셈과 뺄셈 B4 곱셈과 나눗셈	B1 네 자리 수 B2 덧셈과 뺄셈 B3 곱셈구구 B4 길이와 시간	필즈 필즈 필즈 입문 상 입문 중 입문 하
초3	C1 패턴 C2 퍼즐과 전략 C3 유추 C4 카운팅	C1 평면규칙 C2 도형조작 C3 입체설계 C4 공간지각	C1 분수와 소수 C2 여러 가지 분수 C3 곱셈과 나눗셈 C4 큰 수의 계산	C1 덧셈과 뺄셈 C2 곱셈과 나눗셈 C3 측정 단위 C4 분수와 소수	필즈수학 필즈수학 초급 상 초급 하
초4	D1 패턴 D2 퍼즐과 전략 D3 유추 D4 카운팅	D1 평면규칙 D2 도형조작 D3 입체설계 D4 공간지각	D1 분수 덧셈·뺄셈 D2 소수 덧셈·뺄셈 D3 혼합 계산 D4 약수와 배수	D1 자연수 D2 평면도형 D3 분수와 소수 D4 통계와 규칙	필즈수학 필즈수학 중급 상 중급 하
초5	2021년 출시 예정 E1 E1 패턴 E2 퍼즐과 전략 E3 유추 E4 카운팅	E1 평면규칙 E2 도형조작 E3 입체설계 E4 공간지각	E1 분수 덧셈·뺄셈 E2 분수의 곱셈 E3 분수의 나눗셈 E4 분수·소수 혼합	2021년 출시 예정 E1 E1권 E2권 E3권 E4권	필즈수학 필즈수학 고급 상 고급 하
초6	2021년 출시 예정 F1 F1 패턴 F2 퍼즐과 전략 F3 유추 F4 카운팅	F1 평면규칙 F2 도형조작 F3 입체설계 F4 공간지각	2021년 출시 예정 F1권 F2권 F3권 F4권	2021년 출시 예정 F1 F1권 F2권 F3권 F4권	

Man is but a reed,
the most feeble thing in nature;
but he is a thinking reed,

"인간은 자연에서 가장 연약한 갈대에 불과하다.
하지만 인간은 생각하는 갈대이다."

Blaise Pascal, 블레즈 파스칼

펜토미노턴

평면 공간감각을 길러주는 회전 펜토미노 퍼즐

초등학생들이 어려워하는 '평면도형의 이동'을 펜토미노와 패턴블록으로 도형을 직접 돌려 보며 재미있게 해결하는 공간감각 퍼즐입니다.

큐브빌드

입체 공간감각을 길러주는 멀티큐브 퍼즐

머릿속으로 그리기 어려운 입체도형을 쌓기나무와 멀티큐브를 이용하여 직접 만들어 위, 앞, 옆 모양을 관찰하고, 다양한 입체 모양을 만드는 공간감각 퍼즐입니다.

폴리탄

도형 감각을 길러주는 입체 칠교 퍼즐

정사각형을 7조각으로 자른 '입체 칠교'와 직각이등변삼각형을 붙인 '입체 볼로'를 활용하여 평면뿐만 아니라 다양한 입체도형 문제를 해결하는 퍼즐입니다.

트랜스넘버

자유자재로 식을 만드는 멀티 숫자 퍼즐

자유자재로 식을 만들고 이를 변형, 응용하는 활동을 통해 연산 원리와 연산감각을 길러주는 멀티 숫자 퍼즐입니다.

머긴스빙고

수 감각을 길러주는 창의 연산 보드 게임

빙고 게임과 머긴스 게임을 활용하여 수 감각과 연산 능력을 끌어올리고 전략적 사고를 키우는 사고력 보드 게임입니다.

폴리스퀘어

공간감각을 길러주는 입체 폴리오미노 보드 게임

모노미노부터 펜토미노까지의 폴리오미노를 이용하여 다양한 모양을 만들어 보고, 여러 가지 땅따먹기 게임 등을 통해 공간감각을 기를 수 있는 보드 게임입니다.

큐보이드

입체를 펼치고 접는 전개도 퍼즐

여러 가지 모양의 면을 자유롭게 연결하여 접었다 펼치는 활동을 통해 정육면체, 직육면체 전개도의 모든 것을 알아보는 전개도 퍼즐입니다.